Niveau avancé

affaires.com

MÉTHODE DE FRANÇAIS PROFESSIONNEL ET DES AFFAIRES

Cahier d'exercices

Jean-Luc Penfornis
Laurent Habert

CLE
INTERNATIONAL
www.cle-inter.com

Crédits photographiques : p. 18 : Michael Prince / CORBIS ; p. 21 : SPOT / PHOTONONSTOP ; p. 39 : F. Vielcanet / URBA IMAGES / AIR IMAGES ; p. 56 : Roy McMahon / CORBIS ; p. 61 : Michel Gotin / HEMISPHERES IMAGES.

Direction de la production éditoriale : Béatrice Rego
Marketing : Thierry Lucas
Édition : Christine Grall
Couverture : Fernando San Martín
Conception graphique et mise en page : Fernando San Martín/AMG
Illustrations : Claude-Henri Saunier

Test de placement

A. COMPRÉHENSION ORALE

🎧 Écoutez une question et trois réponses. Choisissez la réponse correcte.

		a	b	c
1	Question 1	☐	☐	☐
2	Question 2	☐	☐	☐
3	Question 3	☐	☐	☐
4	Question 4	☐	☐	☐
5	Question 5	☐	☐	☐

		a	b	c
6	Question 6	☐	☐	☐
7	Question 7	☐	☐	☐
8	Question 8	☐	☐	☐
9	Question 9	☐	☐	☐
10	Question 10	☐	☐	☐

B. STRUCTURE DE LA LANGUE

Cochez la bonne réponse.

11 J'espère que vous … passé un bon week-end.
- ☐ **a.** avez
- ☐ **b.** ayez
- ☐ **c.** auriez
- ☐ **d.** aurait

12 Je suis désolé de ne pas … à la réunion d'hier.
- ☐ **a.** assister
- ☐ **b.** être assisté
- ☐ **c.** avoir assisté
- ☐ **d.** ait assisté

13 Il … à Paris demain.
- ☐ **a.** rentre
- ☐ **b.** est rentré
- ☐ **c.** rentrait
- ☐ **d.** aura rentré

14 Il doit prendre une décision … demain.
- ☐ **a.** avant
- ☐ **b.** jusqu'à
- ☐ **c.** vers
- ☐ **d.** en

15 Nous n'avons pas … mangé dans ce restaurant
- ☐ **a.** déjà
- ☐ **b.** plus
- ☐ **c.** jamais
- ☐ **d.** encore

16 Cet été, nous irons … Italie.
- ☐ **a.** à
- ☐ **b.** au
- ☐ **c.** en
- ☐ **d.** pour

17 La poste se trouve au bout de la rue, … la place Victor-Hugo.
- ☐ **a.** à
- ☐ **b.** dans
- ☐ **c.** en
- ☐ **d.** sur

18 Tu devrais écouter ce … Pierre te dit.
- ☐ **a.** dont
- ☐ **b.** que
- ☐ **c.** qui
- ☐ **d.** où

19 Je travaille ici … trois ans.
- ☐ **a.** depuis
- ☐ **b.** en
- ☐ **c.** il y a
- ☐ **d.** vers

20 Je … ai envoyé un mail aujourd'hui.
- ☐ **a.** l'
- ☐ **b.** la
- ☐ **c.** les
- ☐ **d.** lui

C. COMPRÉHENSION ÉCRITE

Cochez la suite de la phrase.

21 À partir de mai, les ventes ont progressé …

☐ **a.** jusqu'à la fin de l'année.

☐ **b.** à cause de la crise.

☐ **c.** en reculant de 10 %.

22 Les objectifs de la réunion sont, d'une part, de vous présenter le projet KP3 et, d'autre part, …

☐ **a.** de vous adresser le compte rendu.

☐ **b.** de réfléchir à ce que nous dirons.

☐ **c.** d'élaborer le programme de fidélisation.

23 Il y a un problème dans la chambre 24 : …

☐ **a.** le chauffage ne marche pas.

☐ **b.** la cliente est très satisfaite de la chambre.

☐ **c.** le petit déjeuner est compris dans le prix.

24 Merci de ton invitation. Je ne pourrai malheureusement pas être des vôtres parce que…

☐ **a.** je serai à l'étranger ce jour-là.

☐ **b.** j'aurai une heure de retard.

☐ **c.** vous pouvez compter sur ma présence.

25 J'ai bien reçu ton mail, mais…

☐ **a.** je n'ai pas réussi à ouvrir le fichier.

☐ **b.** je t'envoie ci-joint le rapport Cerise.

☐ **c.** je te remercie de ton invitation.

26 26. Vous vous souvenez peut-être de moi, …

☐ **a.** nous nous sommes rencontrés à la foire de Montréal en juin dernier.

☐ **b.** je suis désolé d'être parti si vite hier soir.

☐ **c.** je dois reporter notre rendez-vous du 3 mars.

27 Je vous ferai visiter la ville…

☐ **a.** pour aller sur la place du marché.

☐ **b.** quand vous viendrez nous voir.

☐ **c.** si c'est interdit.

28 Monsieur Bernardin a adoré le gâteau au chocolat : …

☐ **a.** il y avait trop de sucre.

☐ **b.** il en a repris trois fois.

☐ **c.** il préfère la tarte aux fraises.

29 Son orthographe n'est toujours pas parfaite, mais…

☐ **a.** c'est mieux que rien.

☐ **b.** il a fait quelques progrès.

☐ **c.** il a suivi un cours de grammaire.

30 Elle a cherché pendant plusieurs mois…

☐ **a.** si bien qu'elle a fini par trouver.

☐ **b.** à condition de trouver ce qu'elle veut.

☐ **c.** même si elle a difficilement trouvé.

D. EXPRESSION ÉCRITE

Vous venez de recevoir ce message de Justine Gomez, votre directrice.

> Comme convenu, merci de m'envoyer dans la journée votre rapport sur le contrôle interne.
> Merci par avance.
> Justine Gomez

Malheureusement, vous n'avez pas fini le rapport. Répondez à ce mail :
– présentez vos excuses pour le retard ;
– expliquez la raison de ce retard ;
– dites quand le rapport sera prêt.

Écrivez environ 50 mots.

Vérifiez vos réponses à la page 2 du livret de corrigés et calculez votre résultat.

Votre résultat :

… / 40

Sommaire

Acteurs économiques

① Paroles d'actifs

A. GRAMMAIRE

L'interrogation directe

① **Complétez avec *qui est-ce qui* ou avec *qu'est-ce que*.**

1. Cet employé est très compétent, ... vous a conseillé de l'embaucher ?

2. Dites-moi, ... vous faites exactement comme travail ?

3. .... occupe le poste de directeur des ressources humaines ?

4. .... était absent à la réunion de chantier ?

5. Les ouvriers exécutent des travaux manuels, ... font les cadres ?

6. .... vous avez décidé ?

② **Complétez ce dialogue avec *quel, quelle, laquelle*.**

– .... est la société avec laquelle nous avons réalisé le plus gros chiffre d'affaires ?

– Comme tous les ans, c'est la société BXT.

– D'accord, et parmi les sociétés étrangères, ... se situe à la première place ?

– C'est la société Sheller.

– .... chiffre avons-nous réalisé avec chacune de ces sociétés ?

– Environ 30 000 euros pour BXT et 16 000 euros pour Sheller.

③ **Posez des questions portant sur les mots en italique ? Utilisez « *est-ce que* ». Il y a plusieurs questions possibles.**

1. – *Quel jour est-ce que vous fermez ?*

– Nous fermons *le dimanche*.

2. – .... ?

– Je gagne *45 000 euros* par an.

3. – .... ?

– Notre siège se trouve *au premier* étage.

4. – .... ?

– Nous travaillons *40 heures* par semaine.

5. – .... ?

– Je travaille dans le service *du personnel*.

B. VOCABULAIRE

4 **Complétez le texte avec les mots suivants :**

cadres / employés / encadrement / ouvriers / patron / postes / salariés

Au total, notre société compte près de 3 000 .... Dans nos usines, il y a environ

2 000 .... et dans nos bureaux 900 ...., supervisés par une centaine de

.... Au sein de l'..............................., les diplômés issus des grandes écoles occupent les

.... les plus élevés, juste au-dessous du grand ....

5 **Supprimez l'intrus.**

1. pomme – banane – orange – ~~voiture~~

2. cadre moyen – cadre supérieur – ouvrier – manager

3. employé – ouvrier – cadre – artisan

4. employé – avocat – médecin – notaire

5. salarié – salaire – artisan – travailleur indépendant

C. LECTURE

6 **Le texte ci-dessous concerne la mobilité géographique des jeunes Français. Complétez-le avec trois des cinq phrases *a.* à *e.* proposées.**

a. Les chefs d'entreprise et les cadres représentent 13 % de l'emploi total.

b. De fait, un cadre peut plus facilement aider son enfant à changer de région, sur le plan financier et professionnel.

c. Le chômage touche particulièrement les jeunes sans qualification.

d. Paris est leur première destination.

e. Cette mobilité est surtout importante pour les diplômés de l'enseignement supérieur.

Selon une enquête du Centre d'études démographiques, 20 % des jeunes Français ayant terminé leurs études n'habitent plus, trois ans plus tard, la région où ils avaient suivi leur formation.

[1 ....**]**

Ces trois dernières années, 27 % d'entre eux ont changé de région contre seulement 10 % des jeunes sans diplôme universitaire.

Au-delà du diplôme, l'environnement familial du jeune a une influence sur la mobilité. « *Avoir un père ou une mère cadre favorise les changements de région en début de carrière. En revanche, avoir des parents ouvriers constitue un frein* », observent les auteurs de l'enquête.

[2..**]**

Le contexte économique local joue également un rôle. Comme il y a plus de travail à la ville, les jeunes citadins restent souvent là où ils sont. En revanche, beaucoup de jeunes ruraux doivent quitter la campagne pour la ville.

[3 ....**]**

2 Diversité des entreprises

A. GRAMMAIRE

1 Complétez par *du / de la / de l' / des / d' / de*.

1. Dans ce grand magasin, il y a beaucoup .... nouveaux rayons vêtements mais il n'y a plus .... rayons alimentation.

2. Pour réussir dans ce secteur d'activité, il faut .... dynamisme, ... persévérance et .... organisation.

3. Nous venons d'expédier trois tonnes .... marchandises en Chine. Nous avons .... belles opportunités de croissance en Asie.

4. Dans cette entreprise, il y a une centaine .... salariés. Il y a .... salariés à temps partiel et .... autres salariés à temps complet.

B. VOCABULAIRE

2 Complétez avec les mots suivants :
chiffre d'affaires / effectif / implantation / secteur / siège social

La société Salibur a été fondée en 2008. Elle a un .... de 26 salariés. Son .... se situe à Orléans. Elle réalise un .... de 5 millions d'euros par an. Son .... est internationale : elle vend en Europe, en Asie et en Amérique du nord. Elle appartient à un .... en pleine croissance : les télécommunications.

3 Voici les slogans publicitaires de différentes entreprises. Indiquez à quel secteur d'activité appartiennent ces entreprises.

1. Electra, nous vous devons plus que la lumière. → (*c*)

2. Lénone, le dessert des digestions heureuses. → ( )

3. Avec Kobi, le mieux consommer est garanti. → ( )

4. Pour mon crédit immobilier, je fais confiance à la TBC. → ( )

5. Étrangement proche, Andorre, le pays des Pyrénées. → ( )

a. Agroalimentaire
b. Tourisme
c. Énergie
d. Banque
e. Grande distribution

C. LECTURE

4 Sonia est étudiante dans une école de commerce. Elle a réalisé un stage dans l'entreprise Actel. Voici ci-dessous le sommaire de son rapport de stage.

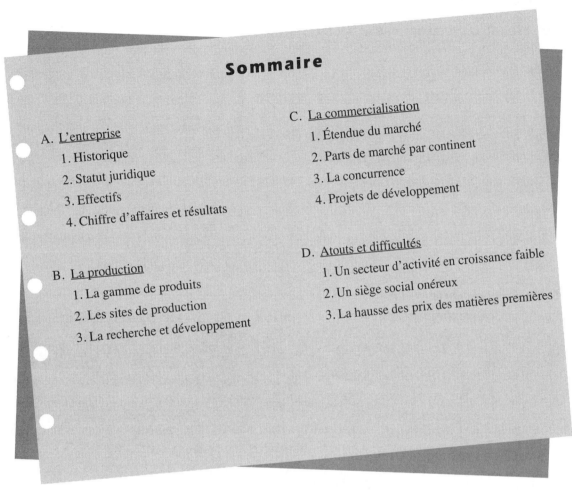

Sommaire

C. La commercialisation
   1. Étendue du marché
   2. Parts de marché par continent
   3. La concurrence
   4. Projets de développement

A. L'entreprise
   1. Historique
   2. Statut juridique
   3. Effectifs
   4. Chiffre d'affaires et résultats

D. Atouts et difficultés
   1. Un secteur d'activité en croissance faible
   2. Un siège social onéreux
   3. La hausse des prix des matières premières

B. La production
   1. La gamme de produits
   2. Les sites de production
   3. La recherche et développement

a. Dans quelle partie se trouve le plus probablement la réponse à chacune des cinq questions suivantes ?

1. Combien de salariés travaillent chez Actel ? → **A3**

2. Quel est le coût d'entretien des bureaux de la direction ? → ...

3. Dans quels pays Actel vend-elle ses produits ? → ...

4. Actel réalise-t-elle des bénéfices ? → ...

5. Actel fabrique-t-elle des produits de luxe ? → ...

b. De quelle partie du rapport de Sonia provient chacun des extraits suivants ?

1. Le budget consacré à la recherche est en constante augmentation. → **B3**

2. Actel est une société anonyme au capital de 120 000 €. → ...

3. Actel est née le 3 mars 2004. → ...

4. 800 personnes travaillent au siège social. Actel emploie 800 salariés dans son usine de Valence. → ...

5. Le prix du pétrole ne cesse d'augmenter. → ...

6. La société prévoit d'augmenter ses ventes à l'exportation de 20 %. Elle envisage également de diversifier sa gamme de produits. → ...

3 Banque de crédit

A. GRAMMAIRE

Les pronoms compléments *le*, *la*, *lui*

1 Mettez dans l'ordre.

1. Je / emprunté / beaucoup / lui / ai / d'argent /.

....

2. Je / lui / peux / rembourser / moitié / somme / de la / la /.

....

3. Sa banque / envoyer / secret / va / lui / code / le /.

....

4. Le banquier / a / à découvert / compte / que / lui / annoncé / était / son /.

....

2 Complétez avec *le / la / l' / lui*.

> Est-ce que cette carte est acceptée dans tous les magasins ?

> Vous pouvez ... utiliser dans tous les magasins qui affichent l'autocollant CB. Mais le commerçant peut ... refuser pour de petits montants. Dans ce cas, demandez-... s'il accepte les chèques. Sinon, payez-... en espèces.

B. VOCABULAIRE

3 Complétez avec les verbes suivants :
accorder / demander / emprunter / payer / prêter / rembourser

1. Nicolas a besoin d' .... 10 000 euros.

2. Il .... un crédit à sa banque.

3. La banque lui .... le crédit : elle lui .... les 10 000 euros.

4. Nicolas devra .... un intérêt de 5 %.

5. Il devra .... le crédit sur dix ans

4 Barrez l'intrus.

1. émettre – encaisser – acheter – signer

2. prêt – emprunt – crédit – vente

3. taux – somme – solde – montant

4. banque – agence – succursale – usine

5 **Choisissez le mot qui convient.**

1. Vous allez à la banque pour verser | virer | encaisser un chèque.

2. Avec votre carte bancaire, vous pouvez retirer | rembourser | rétribuer de l'argent du distributeur.

3. Vous ne devriez pas faire de chèque à découvert | sans provision | à court terme .

4. Pour acheter son appartement, il a contracté un crédit à la consommation | d'impôt | immobilier .

C. LECTURE

6 **Lisez le message publicitaire ci-contre et répondez aux questions.**

1. Où pourriez-vous lire un tel message ?

....

2. Quel est le produit proposé ?

....

3. Pouvez-vous citer un avantage de ce produit ?

....

4. Qui fait une telle offre ? À qui ?

(Qui est monsieur Lelouche ?)

....

> Monsieur Daniel Lelouche,
>
> Vous cherchez à diversifier vos placements dans un cadre fiscal avantageux. La Bourse vous attire mais vous n'osez pas franchir le pas. Pensez à **Prédissime 9**, un contrat d'assurance-vie qui vous offre de nombreux avantages.
>
> Pour dynamiser votre épargne, consultez le dépliant en cliquant __ici__ et contactez vite votre conseiller.

7 **Le texte ci-dessous concerne les prêts bancaires aux étudiants. Complétez-le avec trois des cinq phrases *a.* à *e.* proposées.**

a. Par conséquent, les banques ne prêtent pas facilement aux jeunes.

b. Ainsi, les élèves des grandes écoles sont particulièrement favorisés.

c. Il faut parfois aller voir un banquier.

d. Ils proposent tous des prêts aux étudiants.

e. En revanche, les taux d'intérêt sont peu élevés.

Étudiant aujourd'hui, client demain

Selon une enquête récente de l'Insee, cinq années d'études supérieures en dehors du domicile familial coûtent en moyenne 47 750 euros. Pour régler une telle somme, l'aide des parents, les bourses d'études et les petits boulots ne suffisent pas toujours. [1 ....] Les établissements financiers le savent bien. [2 ....] Car les étudiants constituent une cible prioritaire. « *Il est plus facile de conquérir une personne non bancarisée que de ravir un client à la concurrence. C'est à l'âge des études supérieures, entre 16 et 21 ans, que 60 % des jeunes ouvrent leur premier compte bancaire* », explique Jean-Marc Noir, directeur d'une agence bancaire parisienne.

Mais les étudiants ne sont pas traités sur un pied d'égalité : plus la formation suivie est longue et prestigieuse, plus le montant prêté est important et moins le taux est élevé. « *Un étudiant nous intéresse d'autant plus que son avenir professionnel est prometteur* », reconnaît Florence Cheutin, chef de produit d'une banque belge. [3 ....]

4 Défense du consommateur

A. GRAMMAIRE

Les pronoms relatifs

1 Sébastien Berger anime la célèbre émission de télévision *Téléboutique*. Complétez sa déclaration avec *qui / que / dont / où*.

SÉBASTIEN BERGER : « Bonjour à tous. Merci d'être fidèles à *Téléboutique*, l'émission favorite des consommateurs. Notre première affaire est un téléphone portable ....*dont*........ le design est résolument moderne et ....*qui*........ fait aussi de magnifiques photographies. Ensuite, je vous proposerai un voyage dans un pays ....*où*........ il fait toujours beau et ....*que*........ nous adorons tous : l'Égypte. *Téléboutique* vend les produits ....*dont*........ vous rêvez tous. Pour passer commande, le numéro ....*que*........ vous devez composer est le 1090. »

2 Complétez avec *qui / qu(e)*.

1. C'est un groupe de personnes ....*qui*........ vivent sous le même toit.

2. C'est une chose ....*que*........ vous pouvez acheter.

3. C'est une personne ....*qui*........ dépense de l'argent.

4. C'est un désir ....*qu'*........ on peut satisfaire en achetant quelque chose.

5. C'est une somme d'argent ....*qui*........ vous permet de consommer.

6. C'est une activité ....*que*........ ne correspond pas à la production d'un bien matériel.

B. VOCABULAIRE

3 Relisez les phrases de l'exercice 2. Dans chaque cas, dites de quoi il s'agit.

1. Un m........................... **4.** Un b...........................

2. Un b........................... **5.** Un r...........................

3. Un c........................... **6.** Un s...........................

4 Cochez l'adjectif qui convient.

1. Le revenu dont on dispose est un revenu… ☐ garanti ☐ disponible ☐ direct

2. Se loger est un besoin… ☐ limité ☐ social ☐ vital

3. Ils ont passé une annonce… ☐ publicitaire ☐ variable ☐ satisfaite

4. Ne les croyez pas, c'est une annonce… ☐ positive ☐ mensongère ☐ définitive

5. Par précaution, j'ai envoyé une lettre… ☐ recommandée ☐ normale ☐ spéciale

6. Ils reçoivent des allocations… ☐ familières ☐ familiales ☐ fameuses

7. Nous avons engagé des poursuites… ☐ juridiques ☐ justes ☐ judiciaires

C. LECTURE

5 Un consommateur mécontent écrit à son fournisseur d'accès (*provider*) à Internet. Voici le contenu de sa lettre. Les paragraphes sont dans le désordre. Mettez-les dans l'ordre.

1 Madame, Monsieur,

☐ J'espère que ma réclamation sera acceptée.

☐ Je m'étonne donc de recevoir une facture correspondant à un accès à Internet dont je n'ai pas bénéficié.

☐ J'ai souscrit un abonnement d'accès à Internet le 4 mars.

☐ En vertu de l'article 1376 du code civil, je vous demande de me rembourser la somme de 25 euros. Je joins à cette lettre la photocopie de ma facture faisant état des sommes indûment prélevées.

☐ Or, depuis plusieurs jours, il m'est impossible d'accéder à Internet et de bénéficier des services pour lesquels je paie un abonnement (téléphone et télévision notamment).

☐ Je vous prie de croire, Madame, Monsieur, à l'expression de mes sentiments distingués.

6 Le texte ci-dessous concerne le commerce équitable. Lisez-le. Parmi les cinq titres proposés, choisissez celui qui convient le mieux.

1. Le commerce équitable : un commerce juste, pas de l'assistanat

2. Qu'est-ce que le commerce équitable ?

3. La lente évolution du commerce équitable

4. Le commerce équitable remporte un vif succès

5. Le commerce équitable profite-t-il aux consommateurs ?

....

Le commerce équitable est apparu dans les années 1960 en Europe. Mais ce n'est que depuis une quinzaine d'années qu'il s'est véritablement développé. Il connaît depuis la fin des années 1990 une période de très forte croissance.

La filière équitable garantit au producteur un tarif de vente minimal, au prix d'un surcoût volontairement accepté par le consommateur.

Le commerce équitable se rapporte essentiellement aux rapports commerciaux Nord-Sud. À l'origine, il concer-nait uniquement l'artisanat et les produits textiles. Aujourd'hui, les produits agricoles et alimentaires transformés (chocolat, café, thé, etc.) représentent la grande majorité des ventes.

D'après l'EFTA (Fédération Européenne de Commerce Équitable), le commerce équitable est un partenariat commercial qui vise un développement durable pour les producteurs exclus ou désavantagés. Il offre de meilleures conditions commerciales aux producteurs et il cherche à provoquer une prise de conscience chez le consommateur.

Rôle de l'État

A. GRAMMAIRE

La voix passive

1 Indiquez si les phrases suivantes sont à la voix active ou passive.

	Actif	Passif
1. Le Premier ministre a été nommé par le chef de l'État.	☐	☐
2. Les chômeurs percevront une indemnité.	☐	☐
3. Les infrastructures seront financées par le Conseil général.	☐	☐
4. Les contribuables paient leurs impôts trois fois par an.	☐	☐
5. Une politique libérale sera menée par le nouveau gouvernement.	☐	☐

2 Selon le cas, transformez les phrases de l'exercice 1 à la voix passive ou à la voix active.

1. *Le chef de l'État a nommé le Premier ministre.*

2. ....

3. ....

4. ....

5. ....

3 Voici des titres d'articles de presse. Transformez-les en phrases à la voix passive.

1. | Prévisions des experts : hausse des déficits publics pour l'an prochain |

Une hausse des déficits publics est prévue pour l'an prochain par les experts.

2. | Privatisation de la société nationale d'électricité le mois prochain |

....

3. | Vote d'une augmentation des subventions aux entreprises par l'Assemblée nationale hier |

....

4. | Construction de nombreuses écoles et hôpitaux en Tunisie l'an dernier |

....

5. | Suppression de l'impôt sur la fortune depuis le 1er mars |

....

B. VOCABULAIRE

4 Julie et Max discutent. Complétez leur dialogue avec les mots suivants :
chômeurs / économies / fonctionnaires / impôts / services

Il faut que je paie mes ... à la fin de la semaine. Je trouve qu'on en paie trop ! Je pense qu'on pourrait faire des ... en réduisant le nombre de ... .

Écoute, il faut bien financer les ... publics : les écoles, les hôpitaux, la police. Il y aussi les ... qu'il faut indemniser !

5 Associez le verbe et le nom.

1. Verser	→ c	**a.** une entreprise
2. Entretenir	→ ...	**b.** un service
3. Collecter	→ ...	**c.** une indemnité
4. Subventionner	→ ...	**d.** une taxe
5. Rendre	→ ...	**e.** une armée

C. LECTURE

6 Pour maintenir l'emploi, le Conseil général de la région Poitou-Charentes accorde des subventions à des entreprises qui réunissent certaines conditions. L'article ci-dessous explique quelles sont ces conditions. Dans cet article, la phrase suivante a été omise :

« Lorsqu'il a demandé l'aide financière de la région Poitou-Charentes pour développer son affaire, les services du conseil régional lui ont présenté une *charte d'engagements réciproques* ».

À quel endroit de l'article placez-vous cette phrase ?

Poitou-Charentes : une charte conditionne les aides au maintien de l'emploi.

JEAN-CHRISTOPHE NAUDON fabrique des chaussons « avec semelle en feutre » à Montbron, une petite ville de 3 000 habitants située près d'Angoulême. Il a racheté un fonds de commerce et une douzaine d'emplois. Pour obtenir l'aide remboursable de 35 000 euros qu'il sollicitait, il a ainsi dû s'engager sur quatre points : l'emploi, le dialogue social, l'intégration au territoire et l'environnement.

Tout comme Jean-Christophe Naudon, qui juge « *important de préserver l'emploi* », Nicolas Auvin, bénéficiaire d'une avance remboursable de 165 000 euros, assure n'avoir « *pas été gêné du tout* » par la charte. « *C'est normal de s'engager à conserver l'emploi, parce que certaines entreprises pourraient juste vouloir toucher l'argent.* », précise-t-il.

Cette charte sur le maintien de l'emploi est-elle une réussite ? D'après les experts, on ne pourra répondre à cette question que dans trois ou quatre ans. ∎

Créateurs d'entreprise

 ## Profil de créateur

A. GRAMMAIRE

Le passé composé et l'imparfait

1 **Voici un extrait d'une interview d'un chef d'entreprise. Complétez-le en conjuguant les verbes au passé composé ou à l'imparfait. Si nécessaire, faites l'élision (*je → j'*).**

– Monsieur Van de Mole, votre entreprise livre des sushis à domicile. Quand est-ce que vous .... (**avoir l'idée**) de créer cette entreprise ?

– Il y a deux ans. À l'époque, je .... (**revenir**) d'un séjour au Japon. Je .... (**demander**) une subvention au Conseil régional et dès que je l'............................... (**recevoir**), je .... (**ouvrir**) ma boutique.

– Vous .... (**gagner**) de l'argent tout de suite ?

– Non. Au début, personne ne me .... (**connaître**). Alors, je .... (**devoir**) distribuer des prospectus un peu partout. Rapidement, le bouche-à-oreille .... (**fonctionner**). Aujourd'hui, les affaires marchent et j'ai quatre salariés.

Léo Van de Mole,
chef d'entreprise

2 **Choisissez la forme qui convient le mieux.**

1. Le jour où il a créé son entreprise, il | organisait | a organisé | une réception.

2. Elle a démissionné car elle | souhaitait | a souhaité | créer son entreprise.

3. Pour augmenter ses chances de réussite, il | suivait | a suivi | une formation professionnelle d'un mois.

4. Avant d'être chef d'entreprise, elle | était | a été | peu dynamique.

5. Quand l'entreprise a commencé à faire des bénéfices, nous | embauchions | avons embauché | du personnel.

6. Dès qu'il est arrivé dans la région, il | cherchait | a cherché | du travail.

7. Tout le monde | pensait | a pensé | qu'il n'avait pas le profil, mais il a créé son entreprise avec succès.

8. Dès que nous avons pu, nous | investissions | avons investi | dans des locaux neufs.

9. Auparavant, les jeunes | hésitaient | ont hésité | à créer leur propre entreprise.

10. Quand nous nous sommes implantés en Belgique, nous | n'avions | avons eu | que dix salariés.

B. VOCABULAIRE

3 Quelles sont les qualités du créateur d'entreprise ? Complétez les phrases avec les mots suivants :
curieux / créatif / honnête / indépendant / naïf / passionné / persévérant / réaliste

1. Il ne cherche pas à tromper les autres, il est ....

2. Il ne croit pas tout ce qu'on lui dit, il n'est pas ....

3. Il voit les choses comme elles sont vraiment, il est ....

4. Il poursuit ses efforts sans se décourager, il est ....

5. Il a des idées et de l'imagination, il est ....

6. Il adore ce qu'il fait, il est ....

7. Il veut savoir beaucoup de choses, il est ....

8. Il veut travailler à son compte, en toute liberté, il est ....

C. LECTURE

4 Lisez les citations suivantes. À votre avis, quelle pourrait être la devise du créateur d'entreprise ?

1. « On ne va jamais aussi loin que lorsque l'on ne sait pas où on va ». Christophe COLOMB.

2. « La raison du plus fort est toujours la meilleure ». Jean de LA FONTAINE.

3. « Je n'aime pas travailler, mais j'admets que les autres travaillent. » Arthur ADAMOV

4. « L'homme ne se découvre que quand il se mesure à l'obstacle. » Antoine de SAINT-EXUPÉRY.

5. « Le capital est du travail volé. » Auguste BLANQUI.

5 Complétez le texte ci-dessous avec les phrases suivantes :
Il a confiance en lui / Il est pleinement disponible / Il sait innover / Il prend des risques mesurés.

Les quatre savoir-faire du créateur d'entreprise

a. ....
C'est indispensable. On ne devient pas entrepreneur et, surtout, on ne réussit pas dans cette fonction si le temps de travail est compté. On n'est pas entrepreneur à temps partiel ! Créer une entreprise représente un effort important, mobilisateur de temps.

b. ....
Comment un investisseur accepterait-il de placer des fonds dans une affaire gérée par quelqu'un qui ne croirait pas en ses chances ? Mais attention, il faut rester réaliste.

c. ....
L'entrepreneur n'est pas un joueur. Il sait qu'il ne peut pas s'enrichir en « faisant un coup », en se fiant au pur hasard. Il apprécie, il calcule, il réfléchit aux perspectives à moyen ou long terme. Il tient à la survie de l'entreprise qu'il a créée. Il ne « joue » pas son existence tous les matins.

d. ....
Pour qu'une entreprise survive, il faut qu'elle évolue : dans ses produits, dans ses structures, sur le plan social. Le créateur d'entreprise est à l'écoute, il analyse l'information, il apprend et il découvre sans cesse, il n'hésite pas à mettre en œuvre de nouvelles orientations pour développer son entreprise.

Recherche de capitaux

A. GRAMMAIRE

Les articles

1 Complétez avec un article.

Il y a .... gens qui prétendent que créer une entreprise est .... chose simple à réaliser. Pourtant, ... difficultés sont très nombreuses et .... entreprises qui font faillite au cours de .... première année ne sont pas rares. Même si on peut obtenir .... aides de l'État pour démarrer, il faut aussi obtenir .... prêt des banques. Or, en France, ... banques sont difficiles à convaincre. Il faut préparer .... dossier solide.

2 Un jeune créateur d'entreprise discute avec son banquier. Complétez le dialogue avec des articles.

– Vous souhaitez donc contracter ....
emprunt pour .... achat
d'............................... voiture de société, c'est bien
ça ?

– Oui. J'ai créé ma société il y a six mois, ça marche
plutôt bien. Je dois régulièrement effectuer
.... déplacements en province.
.... trains et .... taxis
coûtent cher et ce n'est pas toujours très pratique.

– Voulez-vous autofinancer .... partie
de .... achat ou voulez-vous emprunter .... totalité ?

– Je préférerais garder .... argent
dont je dispose pour investir dans .... local plus grand.

B. VOCABULAIRE

3 Associez

1. Apport	→ *b*	**a.** d'équipement
2. Bien	→ ...	**b.** de capital
3. Matériel	→ ...	**c.** de capitaux
4. Augmentation	→ ...	**d.** de transport

4 Complétez les phrases avec des mots de l'exercice 3.

1. Une .... de capital entraîne un .... de .... de la part des associés.

2. Le .... de .... est un .... d'équipement.

5 Écrivez le nom qui correspond au verbe.

1. emprunter : un *emprunt*

2. prêter : un ....

3. apporter : un ....

4. investir : un ....

5. autofinancer : un ....

6. rembourser : un ....

7. s'endetter : un ....

8. créer : une ....

C. LECTURE

6 Le texte ci-dessous est extrait de la presse économique. Lisez-le et répondez aux questions suivantes.

a. Quel est le meilleur titre pour cet article de presse ?

1. LES TPE NE PEUVENT PAS OUVRIR DE COMPTE BANCAIRE

2. LES BANQUES AU SECOURS DES PETITES ENTREPRISES

3. LES BANQUES N'AIMENT PAS LES PETITES ENTREPRISES

4. LES BANQUES NE SONT PAS LES SEULES RESPONSABLES

b. À quel endroit dans l'article pouvez-vous ajouter la phrase suivante ?

« *Pour présenter des projets plus solides, les créateurs d'entreprise devraient demander l'aide de conseillers en création d'entreprise.* », ajoute-t-il.

Lettres, courriels et coups de téléphone : les plaintes de très petites entreprises (TPE) arrivent en nombre dans les bureaux du ministère délégué aux PME (petites et moyennes entreprises), pour évoquer les difficultés rencontrées auprès des réseaux bancaires. « *Les créateurs d'entreprises et les TPE ont du mal à obtenir un crédit bancaire mais aussi, bien souvent, à ouvrir un compte* », explique-t-on au ministère.

De fait, selon l'Agence pour la création d'entreprise (APCE), plus d'un tiers des créateurs d'entreprises ont des difficultés à obtenir un crédit. « *Plus une entreprise est petite et plus c'est difficile. Surtout si la société a une activité de prestation de services* », détaille François Hurel, délégué général de l'APCE

Concrètement, les créateurs porteurs d'un projet de 10 000 ou 15 000 euros intéressent peu, surtout si leur plan n'est pas très bien ficelé. Si les banques ne se bousculent pas pour leur ouvrir un compte, c'est « *en raison du temps passé sur ces clients et aussi à cause du découvert qui va être demandé* », selon François Hurel.

Néanmoins, pour le délégué général de l'APCE, « *il ne faut pas rejeter toute la responsabilité sur les banques. Souvent, les TPE ne présentent pas d'éléments suffisamment rassurants pour les établissements de crédit* ». ■

③ Lieu d'implantation

A. GRAMMAIRE

Les indicateurs de temps

①

Complétez la déclaration d'Anne Delaroche avec *dans, depuis, en, il y a, pendant, pour*.

Anne DELAROCHE : « J'ai créé ma société .... trois ans. Je suis restée dans un petit local de 30 m² .... six mois. Au début, je pensais que j'étais là .... longtemps, mais j'ai triplé mon chiffre d'affaires .... six mois. Aujourd'hui, et .... maintenant un an, nous avons installé nos bureaux dans un local de 100 m². Je pense que je devrai de nouveau déménager .... six mois ! »

② **Complétez le message suivant.**

> Bonjour,
>
> notre magasin est ouvert .... lundi .... vendredi,
>
> .... 9 heures .... 19 heures sans interruption,
>
> ainsi que .... samedi .... 9 heures .... 13 heures.
>
> Nous sommes fermés .... 1er août .... 28 août.

B. VOCABULAIRE

③ **Trouvez la bonne réponse.**

1. Quelle est la superficie du local ?	→ *d*	**a.** De 9 à 18 heures
2. Quel est le montant du loyer ?	→ ...	**b.** 1 990 euros par mois
3. À quel étage se situe ce bureau ?	→ ...	**c.** Dans le 8e
4. Dans quel arrondissement se trouve-t-il ?	→ ...	**d.** 150 m²
5. Comment trouvez-vous l'emplacement ?	→ ...	**e.** Au 5e
6. Quelles sont les horaires d'ouverture ?	→ ...	**f.** En 1992
7. Combien d'étages a l'immeuble ?	→ ...	**g.** Idéal
8. En quelle année a-t-il été construit ?	→ ...	**h.** Huit

C. LECTURE

4 Vous voulez ouvrir un commerce de détail. D'après le texte suivant, quel est, en un mot, l'élément que vous devez d'abord prendre en considération ? ....

> Si vous voulez ouvrir un commerce de détail, veillez d'abord aux conditions suivantes :
> – votre local doit être bien visible des personnes qui pourraient acheter ;
> – l'endroit doit être facile d'accès ;
> – il doit y avoir, dans l'environnement immédiat, assez de gens qui y vivent ou y passent et qui veulent ou peuvent acheter vos produits.

5 Voici le sommaire d'un ouvrage intitulé « COMMENT CHOISIR UN EMPLACEMENT COMMERCIAL ». Indiquez dans quelle partie (A, B, C ou D) est posée chacune des cinq questions suivantes.

Sommaire

A. Recenser les caractéristiques de l'emplacement
1. Historique de l'emplacement
2. Situation du local
3. Surface de vente et de stockage
4. Longueur et visibilité de la vitrine
5. Coût d'acquisition

B. Évaluer l'attractivité de la zone
1. Existence proche de commerces attractifs
2. Accessibilité de la zone
3. Dynamisme du quartier
4. Projets pouvant faire évoluer la zone

C. Repérer et analyser la concurrence
1. Ancienneté et notoriété des concurrents
2. Santé financière et qualité d'emplacement des concurrents
3. Concurrents ayant les mêmes types de produits ou services
4. Concurrents indirects ayant le même type de clientèle

D. Étudier la population de la zone de chalandise
1. Composition et évolution récente de la population de la zone déterminée
2. Habitudes de consommation de la population de la zone
3. Estimation de la clientèle visée

1. Où se situe-t-on par rapport à la concurrence du quartier ? → *C*

2. Existe-t-il des animations périodiques du type « semaines commerciales » dans le quartier ? → ...

3. Quelle clientèle peut-on espérer atteindre ? → ...

4. Y a-t-il eu dans les dernières années des changements de commerçant ou d'activité dans ce local ? → ...

5. Le local commercial est-il situé en coin de rue ? → ...

4 Choix de société

A. GRAMMAIRE

Les pronoms *y* et *en*

1 **Complétez avec *y* ou *en*.**

Domino est une société de droit français implantée à Marseille. Elle .... a ses bureaux ainsi que son usine. Il y a trente ans, la société employait 13 salariés, elle .... emploie maintenant 126. Jean-Paul Bertin, son directeur, compte .... embaucher d'autres prochainement. Pour Domino, on peut dire que les affaires marchent.

L'an dernier, Domino a ouvert un bureau à Pékin. « *Cette année, nous allons* .... *ouvrir un deuxième à Shanghai* », explique Jean-Paul Bertin. « *La Chine est en pleine croissance et nous voulons* .... *renforcer notre présence. Nous envisageons même d'*............................... *délocaliser une partie de notre production.* », précise monsieur Bertin. Cette idée n'est pas du goût de tout le monde. Les syndicats .... sont farouchement opposés.

B. VOCABULAIRE

2 **Associez les mots.**

1. Président	→ *d*	**a.** en nature
2. Conseil	→ ...	**b.** en bourse
3. Apport	→ ...	**c.** limitée
4. Cotation	→ ...	**d.** directeur général
5. Responsabilité	→ ...	**e.** de surveillance
6. Objet	→ ...	**f.** social

3 **Complétez.**

Le .... minimum d'une société anonyme de droit français est de 37 000 euros. Il est de 225 000 euros si la société est .... en bourse. La société est dirigée soit par le président du Conseil d'..............................., soit par un .... Les .... ne sont pas responsables des dettes sociales : on dit que leur .... est limitée.

4 **Vrai ou faux ?**

	Vrai	Faux
1. Le capital social est égal au montant des apports des associés.	☐	☐
2. Le siège social se trouve sur le lieu de production principal de la société.	☐	☐
3. Les dettes sociales sont les dettes de la société.	☐	☐
4. Les associés d'une SARL ne sont jamais responsables des dettes sociales.	☐	☐
5. Une société cotée en bourse fait appel public à l'épargne.	☐	☐
6. Les administrateurs d'une SA travaillent dans le service administratif.	☐	☐
7. Les actionnaires sont les créanciers de la société.	☐	☐

C. ÉCRITURE

5 Mathieu Gaillard est avocat d'affaires. Nous lui avons posé quelques questions. Lisez l'interview et répondez à la dernière question.

■ *La société anonyme est une société très réglementée et très formaliste. En est-il de même de la société par actions simplifiée (SAS) ?*

MATHIEU GAILLARD. – Non, les actionnaires d'une SAS disposent d'une grande liberté pour aménager les règles de fonctionnement de leur société. Dans les statuts, ils déterminent librement la nature et les fonctions des organes de direction, ainsi que les conditions et les formes dans lesquelles sont prises les décisions collectives. C'est pour cette raison, en raison de cette liberté contractuelle, qu'ils doivent être particulièrement vigilants lors de la rédaction des statuts, car la moindre mésentente pourrait conduire à des problèmes d'interprétation.

■ *Combien d'actionnaires faut-il être pour constituer une SAS ?*

M. G. – Il suffit d'être deux. Cette forme de société est un instrument très efficace pour rapprocher des entreprises et créer des filiales communes. La SAS peut même être constituée avec un seul associé : on appelle ce type de société une SASU, une société par actions unipersonnelle. Cette SAS unipersonnelle permet aux groupes de sociétés de créer des filiales à 100 %. Par exemple, une SA peut être le seul associé d'une SASU, sans être soumise aux contraintes de sa propre forme de société.

■ *Une SAS peut-elle être cotée en bourse ?*

M. G. – Non, seules les sociétés anonymes peuvent être cotées en bourse. Mais il est possible de transformer une SAS en société anonyme. Cette transformation peut être faite à tout moment et sans condition de délai.

■ *Les SAS sont-elles soumises à un régime fiscal particulier ?*

M. G. – Non, le régime fiscal est assimilé à celui de la SA et la SAS est donc assujettie à l'impôt sur les sociétés. Les cessions d'actions sont assujetties à un droit d'enregistrement de 1 %, alors que pour une SARL les droits d'enregistrement sont de 4,80 %.

Pour conclure, pouvez-vous résumer les avantages de la SAS ?

....

....

....

....

....

....

....

....

....

....

Formalités de création

A. GRAMMAIRE

La terminaison des verbes

1 Remplacez *je* par *nous* et *nous* par *je*.

1. Je me lève à 7 h 30. Je mets 30 minutes pour aller au bureau. Je commence à travailler à 9 h.

Nous ....

2. Je dirige une entreprise. J'engage souvent de nouveaux salariés.

Nous ....

3. Nous changeons souvent de matériel. Nous essayons actuellement un nouvel ordinateur.

Je ....

4. Je partage mon bureau avec des collègues. Je préfère ne pas être seul.

Nous ....

5. Nous achetons de nouvelles chaises de bureau. Nous payons par chèque.

Je ....

6. J'appelle un employé de l'entretien. Je jette les vieilles chaises.

Nous ....

B. VOCABULAIRE

2 Complétez avec des verbes.

Pour c............................ une société en France, vous devez ac............................ plusieurs formalités. Vous devez ainsi :

– r............................ les statuts ;

– p............................ une annonce dans un journal d'annonces légales ;

– o............................ un compte bancaire ;

– i............................ la société au Registre du commerce et des sociétés.

3 Transformez les verbes de l'exercice 2 en noms.

1. La c............................ de la société.

2. L'a............................ des formalités.

3. La r............................ des statuts.

4. La p............................ d'une annonce.

5. L'o............................ d'un compte bancaire.

6. L'i............................ de la société au RCS.

C. LECTURE

4 Lisez le texte ci-dessous sur les conditions de création d'une entreprise dans différents pays.

> Est-il plus facile, plus rapide, plus coûteux, d'immatriculer une société en Hongrie ou en Australie ? Le greffe du tribunal de commerce de Paris a étudié les conditions de la création d'entreprise en Europe et dans onze autres pays.
>
> Pour l'Europe, la fourchette est large puisqu'il faut compter entre un et soixante jours pour immatriculer son entreprise, la France étant le pays le plus rapide (un jour).
>
> En France, c'est 59 euros, contre 350 euros en Australie. Dans onze pays, il faut y ajouter les prestations obligatoires d'un notaire, facturées entre 500 et 1 000 euros.

À quel endroit du texte pouvez-vous placer les deux phrases suivantes ?

1. De même, le coût de l'immatriculation est différent d'un pays à l'autre.

2. D'après cette étude, le délai moyen de traitement des dossiers, tous pays confondus, s'élève à sept jours et demi.

5 Les paragraphes de ce texte sont dans le désordre. Mettez-les dans l'ordre.

○ D'un État à l'autre, en effet, les sanctions encourues pour le défaut de publicité des comptes sont très diverses.

○ Tout le monde est d'accord pour répondre qu'il faut permettre l'accès aux comptes annuels de l'entreprise. Les échanges économiques deviennent ainsi plus fiables.

○ C'est ainsi que le droit européen des sociétés impose le dépôt des comptes annuels. Mais cette obligation varie beaucoup en fonction des pays.

○ Elles peuvent viser le représentant et/ou la société. Dans certains pays, notamment en France ou en Angleterre, le défaut de dépôt des comptes annuels est une infraction pénale. La sanction peut aller de l'amende à l'emprisonnement.

○ Vous voulez des informations précises, chiffrées, récentes sur une entreprise européenne. Pouvez-vous consulter les comptes de cette entreprise ?

6 Choisissez le meilleur titre pour le texte de l'exercice 5.

☐ Où peut-on trouver des informations sur le commerce intra-communautaire ?

☐ Pourquoi les entreprises déposent-elles leurs comptes annuels ?

☐ Qu'est-ce qu'une entreprise européenne ?

☐ Les entreprises doivent-elles faire leurs comptes ?

☐ Peut-on avoir accès aux comptes des entreprises ?

☐ Les comptes des entreprises sont-ils fiables ?

Ressources humaines

① Contrat de travail

A. GRAMMAIRE

Les pronoms relatifs composés

① Voici des questions posées lors d'un entretien d'embauche. Complétez chaque question avec une préposition (*dans, pour, en, à, sur*, etc.) et un pronom relatif.

1. Quelles sont les sociétés *pour lesquelles* vous avez travaillé ?

2. Êtes-vous une personne .... on peut compter en cas d'imprévu ?

3. Êtes-vous une personne .... on peut avoir confiance ?

4. Quelle est la raison .... vous voulez travailler dans notre entreprise ?

5. Quel est le pays .... vous souhaiteriez travailler ?

6. Quel est le loisir .... vous consacrez le plus de temps ?

7. Quels sont les défauts .... vous avez le plus d'indulgence ?

8. Quelles sont les qualités .... vous attachez le plus d'importance ?

B. VOCABULAIRE

② Associez.

1. Une période   → *c*

2. La résiliation   → ...

3. Un entretien   → ...

4. Le directeur   → ...

5. La durée   → ...

6. Un secret   → ...

> **a.** du contrat
> **b.** d'embauche
> **c.** d'essai
> **d.** de fabrication
> **e.** des ressources humaines
> **f.** du travail

③ Complétez les phrases.

1. Après avoir passé plusieurs e .... d'e ...., Nicolas Perrin a signé un c ....
de t........................ à d........................ i........................ avec la société Schneider.

2. Il occupera le p........................ de directeur financier adjoint.

3. Il percevra un s........................ a........................ b........................ de 65 000 euros.

4. Il travaillera à Lyon, au s........................ social de l'entreprise.

5. Il sera libre de choisir ses h........................ de t........................ .

6. Il devra d'abord effectuer une p........................ d'e........................ de trois mois.

7. Nous lui souhaitons bonne ch........................ .

C. LECTURE

4 Lisez le texte suivant, extrait d'un manuel de droit du travail et qui concerne le contrat de travail à durée déterminée (CDD).

En droit français, le contrat à durée indéterminée (le CDI) est la forme normale du contrat de travail. Le contrat à durée déterminée (le CDD) est l'exception. En effet, un employeur ne peut avoir recours au CDD que dans les trois cas suivants :

1. Remplacement d'un salarié temporairement absent :
– le remplacement d'un salarié malade, par exemple.

2. Accroissement temporaire de l'activité de l'entreprise :
– par suite d'une commande exceptionnellement importante ;

– pour l'exécution d'une tâche occasionnelle ne relevant pas de l'activité normale de l'entreprise.

3. Emplois temporaires par nature :
– emplois saisonniers (moniteur de ski, par exemple) ;
– emplois dans certains secteurs d'activités (spectacles, restauration, etc.), où il est d'usage de ne pas recourir au CDI.
La loi française interdit expressément le recours au CDD pour remplacer un salarié gréviste.

Dans chacune des situations suivantes, indiquez si, en droit français, l'employeur peut recourir à un CDD.

	oui	non
1. Un théâtre veut engager un comédien pour jouer un rôle dans une pièce déterminée.	☐	☐
2. Une entreprise veut remplacer une secrétaire pendant que celle-ci prend ses congés.	☐	☐
3. Un traiteur veut engager un cuisinier supplémentaire pour les fêtes de fin d'année.	☐	☐
4. Un hypermarché veut engager un informaticien pour mettre en place un système informatique.	☐	☐
5. Une banque veut remplacer une secrétaire qui a démissionné après dix ans passés dans l'entreprise.	☐	☐
6. Une librairie veut engager une vendeuse supplémentaire pour la rentrée des classes.	☐	☐
7. Un employeur veut remplacer des salariés participant à une grève illégale.	☐	☐
8. Un viticulteur veut embaucher des ouvriers agricoles pour les vendanges.	☐	☐

2 Profil de manager

A. GRAMMAIRE

L'hypothèse

1 Conjuguez les verbes au présent ou au futur.

1. En général, si un candidat ne (*maîtriser*) .... pas le français, nous (*rejeter*) .... sa candidature.

2. Si nous (*continuer*) .... à avoir beaucoup de commandes, nous (*embaucher*) .... une nouvelle assistante commerciale le mois prochain.

3. Si vous (*atteindre*) .... vos objectifs commerciaux, vous (*percevoir*) .... une prime dans trois mois.

4. Si un chef de ventes ne (*savoir*) .... pas motiver ses vendeurs, les ventes (*stagner*) ....

5. Si vous (*être*) .... intéressé par une offre d'emploi, vous (*devoir*) .... générale-ment envoyer votre CV et une lettre de motivation au service du personnel.

B. VOCABULAIRE

2 Les phrases suivantes sont extraites du discours prononcé au cours d'une réunion par un direc-teur commercial. Soulignez les mots en italique qui conviennent.

1. Vous *encadrez / entourez* une équipe de ven-deurs.

2. Vous *réalisez / développez* la clientèle.

3. Si besoin, vous *recrutez / entrez* avec mon accord de nouveaux collaborateurs.

4. Vous *définissez / expliquez* vous-même vos objectifs.

5. Vous me *communiquez / mettez au point* chaque mois vos résultats.

3 Complétez cet extrait d'offre d'emploi avec les mots suivants :
créativité / croissance / curieux / équipe / expérience

> Nous recherchons un
>
> ### DIRECTEUR ARTISTIQUE
>
> Vous avez une .... d'au moins trois ans dans la réalisation de projets web. Vous souhaitez rejoindre une entreprise en pleine ...., qui vous permettra d'évoluer. Vous êtes dynamique, ... et auto-nome. Vous voulez développer votre .... Vous appréciez le travail en ....

C. LECTURE

4 **Le texte suivant est extrait d'un manuel sur le management.**

a. Trois phrases se sont glissées par erreur dans ce texte. Une phrase a été barrée. À vous de barrer les deux autres.

b. Regardez le dessin et indiquez quel savoir-faire il illustre.

Les douze savoir-faire du bon manager

1. Un bon manager respecte ses collaborateurs, mais il ne demande pas leur respect : le respect ne se demande pas, il se gagne.

2. ~~Il a confiance dans les femmes, mais il se méfie des hommes.~~

3. Il définit des règles et des principes de fonctionnement clairs pour tout le monde.

4. Il décide seul, sans consulter son personnel.

5. Il dit ce qu'il fait : il donne du sens à son action.

6. Il fait ce qu'il dit : il donne l'exemple.

7. Il définit clairement le rôle et les objectifs de chaque membre de l'équipe.

Savoir-faire n° ...

8. Il est disponible, il sait écouter.

9. Il connaît ses collaborateurs : il sait ce qui les motive, comment ils font les choses.

10. Il ne délègue pas : il se méfie de tout le monde.

11. Il donne le droit à l'erreur et il donne les moyens pour qu'elle ne se reproduise pas.

12. Il défend son équipe et la protége des pressions de l'environnement.

13. Il félicite et valorise le bon travail de ses collaborateurs.

---

5 **Le texte suivant est extrait de l'interview du directeur d'une école de commerce. Dans ce texte, la phrase suivante a été omise :**

« Le manager doit être ouvert aux autres cultures, il doit avoir une grande capacité à penser à la fois le mondial et le local ».

À quel endroit du texte placez-vous cette phrase ?

QUESTION : Nous vivons dans un monde en mutation. Dans ces conditions, comment former des jeunes au management d'entreprises ?

RÉPONSE : Nous cherchons à transmettre à nos étudiants des valeurs de rigueur et d'honnêteté, des capacités à l'autonomie. Nous leur apprenons à se manager soi-même et à manager les autres. Il doit avoir des compétences classiques, comme la capacité à diriger, l'aptitude à prendre des risques, à communiquer. Il doit avoir un esprit de synthèse et d'analyse. Il doit aussi savoir accepter et contrôler ses émotions, et comprendre les individus qu'il dirige. De plus, la mondialisation de l'économie a rendu d'autres compétences nécessaires.

3 Organisation du travail

A. GRAMMAIRE

Le futur simple et le futur antérieur

1 **Faites des phrases comme dans l'exemple.**

Exemple :

– finir son travail / rentrer chez elle

– *Quand elle aura fini son travail, elle rentrera chez elle.*

1. changer l'organisation du travail / réussir à augmenter la productivité

Dès que nous ....

2. embaucher de nouveaux ouvriers / réduire le nombre d'heures supplémentaires

Aussitôt que nous ....

3. emménager dans les nouveaux ateliers / mettre en place les trois huit

Lorsque nous ....

4. acheter une nouvelle machine / produire plus efficacement

Quand vous ....

5. être muté en Espagne / obtenir une augmentation de salaire

Dès qu'il ....

2 **Mettez les verbes au futur simple ou au futur antérieur.**

Chers collègues,

Comme convenu, nous (installer) .... des pointeuses à l'entrée des ateliers le mois prochain. Dès que ces
pointeuses (installer) ...., vous (effectuer)
.... vos 35 heures hebdomadaires selon les
horaires qui vous (convenir) .... Néanmoins,
vous (devoir) .... travailler cinq jours par
semaine. Cet essai (durer) .... trois mois. Une
fois que cette période (prendre fin) ....,
nous (faire) .... une évaluation. Si cet essai
se révèle concluant, nous (appliquer) .... ce
système dès le 1er janvier.

Philippe PAUMIER
Directeur des Ressources humaines

B. VOCABULAIRE

 Associez les mots.

1. Rotation	→ *d*	**a.** de service
2. Transparence	→ …	**b.** à la chaîne
3. Note	→ …	**c.** des salaires
4. Défaut	→ …	**g.** d'affaires
5. Procédure	→ …	**d.** du personnel
6. Travail	→ …	**e.** de contrôle
7. Voyage	→ …	**f.** de sabotage
8. Acte	→ …	**h.** de fabrication

C. LECTURE

Lisez cet article et indiquez si les affirmations suivantes sont vraies ou fausses.

TÉLÉTRAVAIL :
UNE NOUVELLE ORGANISATION DU TRAVAIL

Le télétravail est une nouvelle organisation du travail qui repose sur l'utilisation des moyens de télécommunication (notamment Internet) pour permettre au travailleur de réaliser sa tâche en dehors de son entreprise, par exemple, chez lui.

Peut-être avez-vous déjà songé à « télétravailler ». C'est possible si l'activité que vous exercez fait partie des emplois concernés par le télétravail. Ainsi est-ce certainement le cas si votre tâche consiste à traiter des informations sous une forme ou sous une autre, notamment si vous êtes secrétaire, comptable, traducteur, graphiste, illustrateur. De même, si vous exercez certains métiers de la presse ou de la publicité, si vous êtes architecte ou encore commercial, si vous travaillez dans l'univers informatique, vous pouvez envisager sérieusement de travailler à domicile.

Si cette méthode de travail correspond à votre personnalité et si vous êtes salarié, il reste à convaincre votre employeur. Si vous êtes d'accord sur le principe, vous devez vous entendre sur le nombre de jours et le lieu consacrés au télétravail ainsi que sur l'équipement nécessaire. Car bien entendu, c'est à votre entreprise de prendre en charge le coût et l'installation du matériel.

Un avenant au contrat de travail formalisera cet accord et vos droits seront ceux de n'importe quel salarié.

	vrai	faux
1. Un télétravailleur travaille toujours à son domicile.	☐	☐
2. Le télétravail concerne tous les métiers de la presse et de la publicité.	☐	☐
3. Si vous décidez de « télétravailler » et si votre employeur en est d'accord, il faut modifier le contrat de travail	☐	☐

4 Réunion de travail

A. GRAMMAIRE

Les indéfinis

1 **Complétez le dialogue avec les mots suivants :**
certains / les autres / personne / quelqu'un / tous

– Nous devons réunir .... de nos vendeurs pour faire le point.

– Vous ne voulez pas .... les voir ?

– Non, convoquez ceux du secteur nord lundi. Je verrai .... le mois prochain.

– Lundi, c'est un jour férié, il n'y aura ....

– Ah oui, c'est vrai ! Alors faisons ça mardi. Si .... ne peut pas venir, décalons la réunion à mercredi. Mercredi au plus tard !

2 **Complétez le dialogue avec les mots suivants :**
aucun / nulle part / personne / quelque chose / quelque part / rien

- La réunion touche à sa fin. Avez-vous .... à ajouter ?

- Si, vous n'avez .... souci à vous faire. Nous nous réunirons .... dans notre annexe de Levallois Perret.

- Oui, ... n'a parlé des prochaines réunions. Avec les travaux de rénovation ici, nous ne pourrons aller .... Je crois que .... n'a été prévu.

B. VOCABULAIRE

3 **Choisissez le verbe qui convient.**

1. Tout le monde devra ... à la réunion.

☐ assister   ☐ fréquenter

☐ attendre   ☐ adhérer

2. Pendant la réunion, veuillez ... des notes.

☐ prévoir   ☐ faire

☐ prendre   ☐ préparer

3. Le directeur ... la parole à chacun.

☐ prendra   ☐ dira

☐ présentera   ☐ passera

4. Ensuite, vous devrez ... le compte-rendu.

☐ rédiger   ☐ exprimer

☐ résumer   ☐ penser

4 **Écrivez les mots manquants.**

LES TÂCHES DU SECRÉTAIRE DE

1. *Avant la réunion* : rédiger, afficher ou diffuser une n............................ de s............................ annonçant la d............................, le l............................ et l'o............................ de la réunion. Préparer l'o............................ du j............................ qui sera distribué au début de la réunion.

2. *Pendant la réunion* : prendre des n............................ .

3. *Après la réunion* : rédiger le c............................–r............................ .

C. LECTURE

5 **Complétez l'article ci-dessous avec trois des cinq phrases a. à e. proposées.**

a. En effet, les réunions se multiplient inutilement.

b. Mais c'est au chapitre des réunions virtuelles que l'étude devient vraiment intéressante.

c. Des vidéoconférences sont associées à de la transmission de documents.

d. La réunion en face à face a encore de beaux jours devant elle.

e. Ensuite, on trouve le manque de préparation de la réunion (72 %).

Réunionite : où en est la maladie ?

D'après une étude conduite auprès de 500 grandes entreprises européennes, les cadres passent en moyenne trois heures par jour en réunion. Près d'un tiers des personnes interrogées considèrent que les réunions sont le plus souvent « superflues... et irritantes ».

Parmi les facteurs les plus irritants, c'est le retard des collègues qui arrive en tête (77 %).

[1 ....]

Les appels téléphoniques, qu'il s'agisse des appels pendant la réunion (61 %) ou de la sonnerie du portable (59 %) sont également fortement critiqués.

[2 ....]

L'étude constate en effet que les téléréunions, connues aussi sous le terme de « réunions virtuelles », commencent à remplacer les rencontres physiques. Toutefois, l'évolution est lente et la téléréunion ne convainc pas tout le monde. Plus du tiers des cadres disposant d'un système de téléréunion avouent qu'ils ne s'en servent pas.

[3 ....]

Droits des salariés

A. GRAMMAIRE

La formation du subjonctif

1 **Voici des phrases prononcées par des syndicalistes. Écrivez les verbes au subjonctif.**

1. Nous demandons que la semaine de 35 heures de travail (être) .... respectée.

2. Nous exigeons que vous nous (payer) .... nos heures supplémentaires et que vous nous (accorder) .... des journées de récupération.

3. Nous souhaiterions que la direction (répondre) .... enfin à nos demandes d'augmentation de salaire.

4. Bien que l'entreprise (faire) .... des bénéfices colossaux, nos salaires stagnent.

5. Il serait préférable que la direction (tenir) .... compte des revendications de ses salariés. Dans le cas contraire, il faudra que nous (avoir) .... recours à la grève.

2 **Transformez en utilisant le subjonctif présent, comme dans l'exemple.**
Exemple :
– Les salariés font grève. Le patron est mécontent.
– *Le patron est mécontent que les salariés fassent grève.*

1. Mon collègue veut démissionner. Je suis étonné.

....

2. Les salariés ont le droit de faire grève. Certains patrons le regrettent.

....

3. Mon contrat de travail prend fin dans un mois. Ça m'ennuie.

....

4. Mon patron doit me verser un salaire fixe chaque mois. Ça me rassure.

....

5. Tu n'as droit qu'à une semaine de congé. C'est dommage.

....

B. VOCABULAIRE

3 **Trouvez le nom correspondant.**

1. Indemniser → *une indemnisation*

2. Licencier → ....

3. Démissionner → ....

4. Revendiquer → ....

5. Convoquer → ....

6. Avertir → ....

4 **Complétez le texte avec les mots de l'exercice 3.**

1. Ricardo souhaite quitter sa société. Cependant, il hésite à donner sa .... Il préférerait négocier un .... afin d'obtenir une bonne ....

2. Catherine Lefèvre a reçu de son employeur une .... à un entretien. De quoi s'agit-il ? Elle est inquiète car elle a déjà reçu plusieurs .... à cause de ses retards. Maintenant, elle a peur d'être ....

C. LECTURE

5 **Catherine Lefèvre est licenciée par son patron. Voici la lettre de licenciement. Les paragraphes sont dans le désordre. Mettez-les dans l'ordre.**

◯ En effet, malgré plusieurs avertissements concernant vos retards, votre supérieur hiérarchique a pu constater que vous n'arriviez toujours pas à l'heure le matin.

1 Madame,

◯ En outre, la qualité de votre travail a sérieusement baissé au cours des six derniers mois.

◯ Je vous prie de recevoir, Madame, mes salutations distinguées.

◯ Ces faits constituent une faute sérieuse justifiant un licenciement.

◯ À la suite de notre entretien du 13 février, je vous confirme votre licenciement. Vos fonctions prendront fin au terme d'un préavis de trois mois, soit le 20 mai.

Marketing

Étude de marché

A. GRAMMAIRE

La place des pronoms compléments

1 **Mettez les mots de la deuxième phrase dans l'ordre. N'oubliez pas les majuscules.**

Exemple :

– Je voudrais une synthèse du questionnaire. *avant / la / ce / – / rédigez / moi / soir / .*

– *Rédigez-la moi avant ce soir.*

1. Le directeur a besoin de ce renseignement. *gentille / le / soyez / lui / de / trouver / .*

....

2. Les questions ne doivent pas être trop nombreuses. *leur / posez / trop / pas / ne / en / .*

....

3. Le directeur veut les résultats le plus vite possible. *lui / – / par / envoyez / les / courriel / .*

....

4. L'âge des personnes interrogées nous est indifférent. *demandez / ne / leur / pas / le / .*

....

2 **Un fabricant italien de spaghettis réalise une étude de marché. Répondez aux questions en utilisant des pronoms compléments.**

Exemple :

– Faites-vous des pâtes à vos enfants ?

– *Oui, **je leur en fais**.*

> ## QUESTIONNAIRE
>
> **1.** Emmenez-vous souvent vos enfants dans une pizzeria ?
>
> Non, ...
>
> **2.** Proposez-vous souvent des pâtes à vos invités ?
>
> Oui, ...
>
> **3.** Vous intéressez-vous à la cuisine italienne ?
>
> Non, ...
>
> **4.** Pourriez-vous vous passer de pâtes ?
>
> Oui, ...

B. VOCABULAIRE

3 **Complétez cette lettre de vente avec les verbes suivants :**
concevoir / consacrer / lancer / proposer / répondre / satisfaire

Chère madame Bernadin,

Notre société innove constamment afin de ....
au mieux à vos attentes. Nous avons un objectif : vous
.... C'est dans cet objectif que nous avons été
amenés à .... le questionnaire ci-joint.

Nous vous prions de bien vouloir y .... un
peu de votre temps. C'est grâce à vos réponses que nous pourrons .... sur le marché et vous
.... les meilleurs produits.

Bien cordialement.

Yvonne Perez
Responsable de la relation clients

SA AU CAPITAL DE 670 407 765 EUR. RCS PARIS 552120444
SIÈGE SOCIAL : 45, BD HAUSSMANN - 75009 PARIS

C. LECTURE

4 **Le texte ci-dessous vous explique comment réaliser un questionnaire pour une enquête. Lisez-le. Puis écri-vez chacun des titres suivants en tête du paragraphe correspondant.**

Titres : DÉFINIR L'ÉCHANTILLONNAGE
DÉPOUILLER ET ANALYSER LES INFORMATIONS
RÉALISER LES INTERVIEWS
RÉDIGER LE QUESTIONNAIRE

QUESTIONNAIRE

Comment réaliser un questionnaire d'enquête

1. ....
Vous devez :
– utiliser un langage simple et direct ;
– privilégier les questions fermées en proposant
un choix de réponses précises, plutôt que des
questions ouvertes difficiles à interpréter.

2. ....
Vous devez savoir précisément quelles personnes
interroger (cible visée) et comment les repérer.

3. ....
Vous choisirez :
– des intervieweurs aimables ;
– un lieu fréquenté par la cible visée.

4. ....
Vous croiserez les informations obtenues avec cer-
tains critères déterminants, tels que l'âge ou le
sexe pour une cible grand public, la taille ou le
domaine d'activité pour une cible d'entreprise.

Définition du produit

A. GRAMMAIRE

La comparaison

1 Une association de défense des consommateurs a établi un tableau comparatif de deux opérateurs de téléphonie mobile. Lisez ce tableau, puis complétez le texte suivant avec des comparatifs.

	Vert Mobile	TFR
Date de mise en service	2010	2011
Qualité du réseau	excellent	bon
Prix d'un forfait 2 h	22 euros	25 euros
Qualité du service client	mauvais	mauvais
Nombre de clients	42 millions	26 millions
Nombre d'appareils au catalogue	125	125

Vert Mobile
ou
TFR ?

Vert Mobile est un peu .... ancien .... TFR. Les deux réseaux sont de bonne qualité, mais le réseau Vert Mobile est ....

En ce qui concerne les prix, il y a peu de différences. On constate que sur un forfait de 2 heures, Vert Mobile est .... cher .... TFR de seulement trois euros.

Le service à la clientèle des deux opérateurs est .... mauvais chez l'un .... chez l'autre. TFR a beaucoup .... clients que son principal concurrent (26 millions contre 42 millions pour Vert Mobile).

Pour ce qui est du choix de votre téléphone portable, vous aurez .... appareils à votre disposition dans le catalogue de Vert Mobile .... dans celui de TFR. Vert Mobile ou TFR ? À vous de faire jouer la concurrence !

2 Complétez le dialogue avec *aussi, meilleur(e), mieux, plus.*

- Vous me dites que les deux réseaux sont .... bons l'un que l'autre. Pourtant, j'ai lu que la qualité du réseau Vert Mobile était ...., qu'on captait beaucoup .... dans le métro et à la campagne.

- C'est vrai que la couverture géographique de Vert Mobile est .... étendue que celle de TFR, mais j'ai entendu dire que la qualité du son était nettement .... sur le réseau TFR.

- Je vois, c'est difficile de faire le .... choix !

B. VOCABULAIRE

3 Classez les mots suivants dans le tableau :

emballage / sexe / lieu d'habitation / logo / revenu / couleur / catégorie sociale / graphisme

Critères de positionnement	Éléments du conditionnement
....	*emballage*
....	....
....	....
....	....

C. LECTURE

4 Lisez l'article et répondez aux questions.

Danone change son yaourt

Avez-vous remarqué les publicités pour les yaourts « Crok fruits » de Danone ? Ce yaourt a été lancé dans un packaging à moitié coloré et à moitié gris, ce qui ne donnait guère envie de l'acheter. Un yaourt habillé de gris, comme pour un enterrement, quelle drôle d'idée ! Le nom du yaourt était « Croc' fruits » avec un C.

Quelques mois après son lancement, Danone a modifié le nom du yaourt, qui s'appelle désormais « Crok fruits » avec un K. Avec un K, ça donne plus l'impression que ça va croquer, n'est-ce pas ? Et puis surtout, l'emballage est différent : maintenant, il est tout coloré, pour nous rappeler les bons fruits.

Danone, c'est l'art de vendre des yaourts en les mettant dans une boîte tout en couleur et en remplaçant un C par un K !

1. Qu'est-ce que Danone a changé au yaourt « Crok Fruits » ?

....

2. Comment comprenez-vous la dernière phrase de l'article ?

....

Méthodes de distribution

A. GRAMMAIRE

Les expressions de lieu

1 Complétez les phrases avec *à, au, dans, de, en, sur*.

1. Nos bureaux sont situés .... Paris, ... le 8ᵉ arrondissement, ... 4ᵉ étage d'un immeuble en pierre, ... une petite rue située .... coté .... l'avenue des Champs Élysées.

2. .... la ville Chartres, il est facile de faire ses courses. Il y a beaucoup de petits commerçants .... le boulevard principal. Pour des courses importantes, il y a des hypermarchés .... dehors .... la ville. Et puis, Paris n'est qu'à 60 kilomètres. .... la capitale, vous pouvez tout trouver !

3. .... Canada, il y a beaucoup de grands centres commerciaux. Ils sont situés aussi bien .... les centre-villes qu'.............................. banlieue. .... ces centres commerciaux, on trouve de nombreux magasins. Généralement, ... rez-de-chaussée se trouvent les magasins bas de gamme, puis, plus on monte .... les étages, plus on monte en gamme. À l'intérieur, ... cœur du centre commercial, on trouve généralement des attractions pour les enfants.

B. VOCABULAIRE

2 Complétez le dialogue avec les mots suivants :
consommateurs / grandes surfaces / magasins / petits commerçants / produits, promotion

3 Barrez l'intrus.

1. tête de gondole – parking – linéaire – assortiment

2. grossiste – détaillant – producteur – négociant

3. épicier – hypermarché – supermarché – grand magasin

4. moniteur – imprimante – disque dur – aspirateur

5. vendeur – infirmier – chef de rayon – caissier

C. LECTURE

4 Lisez l'article ci-dessous sur la journée de travail d'un chef de rayon d'hypermarché. Replacez à la fin de chaque paragraphe les commentaires *a.* à *e.* suivants.

a. *Mon rayon doit être une source de profit maximal.*

b. *Hier soir, c'est moi qui ai découpé le jambon.*

c. *C'est moi qui gère les stocks.*

d. *Pas une boîte ne doit dépasser, toutes les étiquettes doivent être lisibles.*

e. *Il faut qu'ils tiennent tous ensemble et qu'ils restent bien visibles.*

Une journée de travail de Bernard Le Gall, chef de rayon dans un hypermarché

C'est un hypermarché au nord de Paris. Il est 7 heures du matin. Bernard Le Gall, chef du rayon *épicerie fine*, arrive au magasin. Il n'est pas le premier, loin de là. Les premières équipes sont au travail depuis 4 heures du matin. Un bonjour rapide à tout le monde,

Bernard Le Gall travaille chaque jour de 7 h à 21 h.

et monsieur Le Gall se met au travail. Entre 7 et 9 heures, il va ranger son rayon méticuleusement. « .... », précise-t-il.

Le rayon de Bernard Le Gall constitue un petit univers à lui tout seul. Des centaines de produits sont rassemblés sur quelques mètres carrés. « .... », explique-t-il.

Plus le rayon est agréablement disposé et plus les clients achètent. La mission du chef de rayon est simple. Elle se résume en trois mots : faire du chiffre. « .... », avoue Bernard Le Gall.

Le chef de rayon ne se contente pas de « mettre en scène » les produits de son rayon. Il est aussi chargé des négociations avec les fournisseurs et de l'approvisionnement. « .... », explique M. Le Gall.

Et ce n'est pas tout. En cas d'affluence, le chef de rayon n'hésite pas à mettre la main à la pâte. « .... », raconte-t-il. ∎

Moyens de communication

A. GRAMMAIRE

Le discours rapporté

1 **Transformez les questions comme dans l'exemple.**

Exemple :

– Est-ce que nous devons faire une campagne d'affichage ?

– *Je me demande **si nous devons faire une campagne d'affichage**.*

1. Est-ce que nous devons distribuer des échantillons du nouveau produit ?

Je me demande ....

2. Qu'est-ce que tu en penses ?

Dis-moi ....

3. Pourquoi est-ce qu'on ne réussirait pas ?

Je ne vois pas ....

4. Qu'est-ce qui reviendra le plus cher dans le plan de communication ?

J'aimerais savoir ....

5. Que fera la concurrence ?

On ne sait pas ....

6. Est-ce qu'il faut organiser une soirée de lancement ?

Je me demande ....

7. Qui est en charge du projet ?

Le patron voudrait savoir ....

B. VOCABULAIRE

2 **Associez les mots de la colonne de gauche à ceux de la colonne de droite.**

1. Publicité directe	→ *d*	**a.** Presse
2. Mass média	→ ...	**b.** Événement sportif
3. Publicité sur le lieu de vente	→ ...	**c.** Soirée de lancement
4. Promotion des ventes	→ ...	**d.** Lettre de vente
5. Parrainage	→ ...	**e.** Enseigne lumineuse
6. Relations publiques	→ ...	**f.** Coupons réponses

3 **Complétez avec des mots de l'exercice 2.**

1. Le .... permet de faire connaître la marque en s'associant à un événement sportif ou culturel.

2. La .... permet de s'adresser directement au consommateur.

3. Les .... permettent de diffuser dans le public une bonne image de l'entreprise.

4. La .... permet de provoquer des achats spontanés à l'intérieur du magasin.

5. La .... a pour but le développement des ventes à court terme. Son utilisation doit être limitée dans le temps.

C. LECTURE

4 Voici le sommaire d'un plan de communication. Indiquez dans quelle partie (A, B, C ou D) se trouve la réponse à chacune des cinq questions posées.

PLAN DE COMMUNICATION

Sommaire

A. Promotion des ventes	**C. La publicité par les médias**
1. Jeu concours	1. Presse
2. Échantillons	2. Internet
3. Bons de réductions	3. Radio
4. Essais gratuits	4. Télévision
B. Publicité directe	**D. Parrainage et relations publiques**
1. Démarchage téléphonique	1. Actions de parrainage
2. Publipostage	2. Conférence de presse
3. Courrier électronique	3. Communiqué de presse
4. Salons professionnels	4. Réception de prestige

1. Quels journaux privilégions-nous pour nos annonces ? → *C*

2. Qui invitons-nous à notre soirée d'inauguration ? → ...

3. Quels types de clients doit appeler l'équipe du télémarketing ? → ...

4. Quels genres d'événements comptons-nous sponsoriser ? → ...

5. Comment envoyons-nous les lettres de vente ? → ...

5 « *Quel média choisir pour votre publicité* » est le titre d'un livre écrit par Luc Dupont. L'éditeur en fait la présentation ci-contre. Lisez-la.

Parmi les questions suivantes, il y en a certainement une à laquelle ce livre ne répond pas. Quelle est cette question ?

1. Est-il préférable d'acheter de la publicité à la radio le matin, le midi ou le soir ?

2. Quels types de cadeaux offrir sur le lieu de vente ?

3. Internet est-il efficace ?

4. Combien de gens zappent durant les pauses commerciales à la télévision ?

5. Les premières pages des magazines sont-elles plus efficaces ?

« Ce livre est destiné aux entrepreneurs et à tous ceux qui veulent en savoir davantage sur le monde fascinant des médias. De nos jours, l'un des éléments les plus importants dans la réussite de votre publicité tient aux médias que vous employez pour transmettre votre message. Dans un univers où l'encombrement publicitaire a été multiplié par cinq depuis 30 ans, vous ne pouvez pas réaliser de grandes campagnes si vous ne commencez pas par apprendre à choisir et à utiliser correctement chaque média. *Quel média choisir pour votre publicité* répond à mille et une questions sur le sujet. »

5 Force de vente

A. GRAMMAIRE

L'infinitif, complément de verbe

1 Complétez avec *à*, *de* ou *d'*. Mettez Ø quand il ne faut pas de préposition.

1. Nos vendeurs commencent .... travailler tôt le matin et ils finissent tard le soir. Ils sont aussi souvent obligés .... travailler le samedi. Comme ils reçoivent de généreuses commissions, ils n'hésitent pas .... passer beaucoup de temps sur le terrain. Cependant, ils refusent tous .... travailler le dimanche. Ce jour-là, ils veulent .... profiter de leur famille.

2. Selon une enquête, beaucoup de vendeurs désirent .... changer d'emploi. Ils rêvent .... trouver un travail moins stressant et moins fatigant. Mais la majorité hésitent .... démissionner car ils ont peur .... ne pas trouver d'emploi aussi rémunérateur.

B. VOCABULAIRE

2 Choisissez le mot qui convient.

1. Le vendeur touche un salaire fixe auquel s'ajoute une …

☐ majoration ☐ commission ☐ réduction ☐ hausse

2. Le vendeur doit … pour trouver de nouveaux clients.

☐ prospecter ☐ promouvoir ☐ promettre ☐ consulter

3. Cinq vendeurs seront présents sur notre stand au … de l'automobile

☐ marché ☐ bazar ☐ salon ☐ magasin

4. Pour bien vendre, il faut savoir écouter et …

☐ critiquer ☐ argumenter ☐ dissuader ☐ débattre

5. Étant donné les bons résultats de cette année, les vendeurs percevront une … exceptionnelle

☐ prime ☐ pension ☐ allocation ☐ rente

6. Ce mois-ci, Pierre a réalisé un bon chiffre. Il a … plusieurs ventes importantes.

☐ connu ☐ résolu ☐ conçu ☐ conclu

3 Complétez l'offre d'emploi ci-contre avec les éléments suivants :

– bonne présentation
– boutique de prêt-à-porter de luxe
– CV et lettre de motivation
– jlaripa@kirecrute.com
– vente de produits de luxe
– notions d'anglais
– Paris 16ᵉ
– deux ans d'expérience

Pour notre ....

située à ....

nous recherchons

UNE VENDEUSE

avec une ....

des ....

et au moins ....

dans la ....

Envoyer ....

à ....

C. LECTURE

4 Le texte ci-dessous explique l'importance de la force de vente pour une entreprise. Complétez-le avec trois des cinq phrases *a.* à *e.* proposées.

a. Bien formée et bien encadrée, elle est plus efficace qu'une équipe indisciplinée.

b. C'est pourquoi les vendeurs aiment leur métier.

c. Pourtant, une bonne force de vente ne fait pas tout !

d. Le vendeur est souvent le seul lien qu'ait le consommateur avec l'entreprise.

e. Elle tire également le chiffre d'affaires

Une force de vente efficace : une nécessité pour l'entreprise

Une force de vente peut coûter très cher à l'entreprise. Mais son importance se mesure bien au-delà de son coût.

La force de vente constitue probablement la structure la plus puissante au sein de l'entreprise. Elle représente publiquement l'entreprise, qui met entre ses mains son actif le plus important : le client. [1 .....]

Pour le client, le vendeur, c'est l'entreprise.

La force de vente ne génère pas seulement des coûts. [2 .....] Plus elle est étoffée et plus les ventes sont élevées. Bien motivée, elle vend davantage. [3 .....] Plus elle est créative, plus elle contribue directement au chiffre d'affaires et à la rentabilité de la société. ■

D'après un article de Andris. A. Zoltners, in Lesechos.fr.

D. SAVOIR-FAIRE

5 Aujourd'hui, les Français consomment moins de vin qu'il y a 30 ans, mais ils consomment du vin de meilleure qualité.

La Société Dumont est spécialisée dans le négoce et la distribution de vins de table courants. Depuis de longues années, elle se concentre essentiellement sur le marché français avec la vente de ce type de vin, bon marché et vendu en bouteille d'un litre. Depuis plusieurs années, la direction de la société constate une baisse régulière des ventes de l'ordre de 6 % (chaque année). Pour arrêter cette baisse, elle décide d'augmenter la force de vente.

Que pensez-vous de cette décision ?

....

....

....

....

....

....

....

5 Correspondance professionnelle

① Prise de contact

A. GRAMMAIRE

Formuler une demande

① **Les phrases suivantes sont extraites de différentes lettres. Complétez-les avec les verbes suivants :**
prions / saurions / serions / souhaiterions / veuillez / voudrez

1. Nous vous .... reconnaissants de bien vouloir nous faire parvenir les documents nécessaires le plus rapidement possible.

2. Nous vous .... gré de nous faire connaître votre décision dans les plus brefs délais.

3. Nous .... recevoir votre devis sous huitaine.

4. .... nous excuser pour ce retard de livraison indépendant de notre volonté.

5. Nous vous .... de bien vouloir régler votre facture à réception de la commande.

6. Vous .... bien nous retourner les documents ci-joints par coursier dès que possible.

② **Les phrases suivantes expriment-elles une demande ou un remerciement ?**

	Demande	Remerciement
1. Merci d'avoir répondu si rapidement.	☐	☐
2. Merci de bien vouloir confirmer votre réservation.	☐	☐
3. Merci de remplir ce formulaire.	☐	☐

B. VOCABULAIRE

③ **Les éléments suivants sont-ils des biens de consommation, des biens d'équipement, des services ou... des partenaires de l'entreprise ?**

	Bien de consommation	Bien d'équipement	Prestation de service	Partenaire de l'entreprise
1. Un kilo de farine	☐	☐	☐	☐
2. Des étagères	☐	☐	☐	☐
3. Un transporteur	☐	☐	☐	☐
4. Un abonnement téléphonique	☐	☐	☐	☐
5. Une location de voiture	☐	☐	☐	☐
6. L'administration fiscale	☐	☐	☐	☐
7. Une photocopieuse	☐	☐	☐	☐
8. Une cartouche d'encre	☐	☐	☐	☐
9. Un consommateur	☐	☐	☐	☐
10. Un fabricant de meubles	☐	☐	☐	☐

B. LECTURE

4 Quentin Barbier, directeur des achats de la société Expo 6, a rendez-vous le vendredi 25 octobre à 10 heures, dans son bureau, avec Émilie Gaillard.

> *Émilie Gaillard est responsable des ventes chez Gressier Vidal, une entreprise qui vend du matériel d'exposition. Monsieur Barbier vient d'apprendre qu'il a une réunion importante ce jour-là. Il envoie un courrier électronique à madame Gaillard lui demandant de reporter le rendez-vous.*

1. Pour quelle entreprise travaille Quentin Barbier ? Quelle est sa fonction ?

....

2. Pour quelle entreprise travaille Émilie Gaillard ? Quelle est sa fonction ?

....

3. À quelle date ont-ils rendez-vous ? À quelle heure ? À quel endroit ?

....

4. Que veut faire Quentin Barbier ? Pour quelle raison ?

....

C. ÉCRITURE

5 Mettez-vous à la place de Quentin Barbier et complétez le courriel.

De : Quentin Barbier
À : Émilie Gaillard
Date : lundi 20 octobre 2012 - 10:26
Objet : RV du 25 octobre

Bonjour,

Nous sommes convenus d'un ....

....

Malheureusement, je ....

En effet, ...

Pouvons-nous ....

....

Je ....

Meilleures ....

Quentin Barbier
Directeur des achats

Commande en ligne

A. GRAMMAIRE

La condition

1 **Complétez cette conversation téléphonique avec les verbes aux modes et temps qui conviennent.**

– Bonjour Madame, j'ai reçu votre catalogue et je souhaiterais passer une commande prochainement, pourriez-vous me dire comment je dois procéder ?

– Bien sûr. Si vous le (*souhaiter*) ...., vous (*pouvoir*) .... passer votre commande par téléphone maintenant.

– Ah, c'est bien, mais ma liste d'achats n'est pas tout à fait prête.

– Dans ce cas, quand vous (*être*) .... prête, n'(*hésiter*) .... pas à rappeler. Mais si vous le (*vouloir*) ...., vous (*pouvoir*) .... tout aussi bien passer votre commande en ligne.

– Oui, ça, malheureusement, c'est au cas où je (*pouvoir*) .... réparer mon ordinateur. Il est bloqué depuis ce matin. Ah, si les ordinateurs ne (*tomber*) .... pas toujours en panne, tout (*être*) .... plus simple !

2 **François Meunier est responsable des ventes dans une entreprise. Complétez sa note de service avec les mots suivants :**
si (ou s') / à condition que / au cas où

NOTE DE SERVICE
À L'ATTENTION DES VENDEURS

Notre nouvelle politique commerciale devra respecter les règles suivantes :

1. .... un client commande en grande quantité, vous pourrez proposer un tarif dégressif, mais .... le règlement soit au comptant.

2. .... le client passerait sa première commande chez nous, vous pourrez lui offrir une remise exceptionnelle de 2,5 %.

3. .... il s'agit d'un client habituel, offrez-lui le tarif dégressif.

4. .... il demanderait une remise, incitez-le à commander en plus grande quantité.

5. .... vous pensez que nous risquons de perdre un client pour refus de remise, vous pourrez, de manière exceptionnelle, proposer une remise .... vous en fassiez d'abord la demande à la direction.

Le responsable des ventes
François Meunier

B. VOCABULAIRE

3 **Complétez le texte avec les mots suivants :**
accusé de réception / bon de commande / commande / courrier / télécopie / téléphone

Si vous passez votre commande par ...., vous devez la confirmer par écrit,
soit par .... soit par .... électronique. Pour ce faire, nous vous
remercions d'utiliser le .... qui se trouve dans notre catalogue papier ou en
ligne. Vous recevrez un .... dès que votre .... nous sera
parvenue.

C. LECTURE

4 **Lisez le courriel et répondez aux questions.**

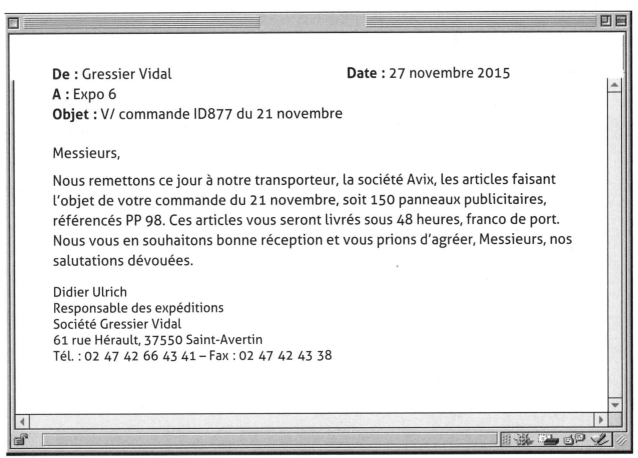

De : Gressier Vidal   **Date :** 27 novembre 2015
A : Expo 6
Objet : V/ commande ID877 du 21 novembre

Messieurs,

Nous remettons ce jour à notre transporteur, la société Avix, les articles faisant
l'objet de votre commande du 21 novembre, soit 150 panneaux publicitaires,
référencés PP 98. Ces articles vous seront livrés sous 48 heures, franco de port.
Nous vous en souhaitons bonne réception et vous prions d'agréer, Messieurs, nos
salutations dévouées.

Didier Ulrich
Responsable des expéditions
Société Gressier Vidal
61 rue Hérault, 37550 Saint-Avertin
Tél. : 02 47 42 66 43 41 – Fax : 02 47 42 43 38

1. Qui a commandé les marchandises ? ....

2. À quelle date la commande a-t-elle été passée ? ....

3. Qui expédie ? ....

4. À quelle date a lieu l'expédition ? ....

5. Qui livre ? ....

6. Quelle est la date limite de livraison ? ....

7. Quel est l'objet de la commande ? ....

8. Qui réceptionne la commande ? ....

3 Service clientèle

A. GRAMMAIRE

La cause

1 Complétez les phrases avec les mots suivants :

à cause de / à force de / grâce à / étant donné / par manque de / sous prétexte que / comme

1. La livraison a pris du retard .... la grève des transporteurs.

2. .... temps, nous n'avons pas pu livrer la marchandise dans les délais.

3. .... réclamer, le client a obtenu un remboursement partiel de sa facture.

4. .... la diligence du transporteur, la marchandise est arrivée en bon état.

5. .... l'ancienneté de nos relations commerciales, nous acceptons de vous échanger les articles qui ne vous conviendraient plus.

6. .... vous n'avez pas émis de réserve lors de la réception de la marchandise, nous ne pouvons répondre favorablement à votre réclamation.

7. Ce client a demandé le remboursement du montant de sa dernière facture .... la livraison n'était pas conforme à sa commande.

2 Mettez les mots dans l'ordre. Commencez chaque phrase par une majuscule. Ajoutez la ponctuation.

1. fêtes de fin d'année / pris / du retard / en raison des / nos livraisons / ont

....

2. sera / la marchandise / échangée / faute de / pas / ne / preuve

....

3. endommagés / des articles / remboursé / comme / a été / ont été / le client

....

4. car / défectueux / retournons / vous / nous / cet article / il / est

....

5. nous perdons / ne pas / respecter / les délais de livraison / des clients / à force de

....

B. VOCABULAIRE

3 Écrivez le mot manquant.

1. – Quels sont les d................................ de livraison ?

– Ils sont de 4 jours à compter de la commande.

2. – Quel est le l................................ de livraison ?

– C'est à l'adresse que souhaite le client.

3. – Quelle est la d................................ de la commande ?

– Le 3 mars 2012.

4. – Quel est le n................................ de la commande ?

– C'est la commande 569823.

5. – Quels sont les r................................ de l'article ?

– C'est un grille-pain GP 98/015

6. – Quel est le r................................ de livraison ?

– 24 heures, ils devaient nous livrer hier.

4 **Complétez.**

Lorsque la marchandise arrive chez le client, quatre situations peuvent donner lieu à des réclamations :

1. La marchandise est l............................. avec retard ;

2. Elle n'est pas c............................. à la commande ;

3. Elle est en m............................. é............................. ;

4. Il m............................. certains articles.

C. LECTURE

5 **Lisez la lettre ci-dessous. Dans chaque paragraphe, figure un mot dont l'emploi est incorrect dans le contexte. Identifiez-le et remplacez-le par un mot approprié.**

SOFIX
Cabinet d'expertise comptable
240 rue Léon Blum
34000 MONTPELLIER

Tél. : 04 63 22 22 04
Fax : 04 63 22 22 12

                    AFC Bureautique
                    1208 av. Albert Einstein
                    34000 MONTPELLIER

Objet : notre contrat du 8 mars

                    Montpellier, le 4 mai 2015

Madame, Monsieur,
               l'objet

Notre photocopieur JIRAX 8877, qui fait ~~l'affaire~~ d'un contrat d'entretien avec votre société, est en panne depuis sept jours.

J'ai téléphoné à cinq reprises afin que vous m'envoyiez un technicien qui, selon les termes de notre contrat, doit se présenter dans les vingt-quatre mois.

En conséquence, malgré les promesses qui m'ont été faites au téléphone, personne ne s'est encore présenté.

Cette situation aide énormément notre travail.

Si votre technicien ne venait pas sous quarante-huit heures, je serais heureux d'entamer une procédure pour constater la rupture de notre contrat.

Je parie qu'une telle mesure ne sera pas nécessaire.

Veuillez recevoir, Madame, Monsieur, mes salutations sympathiques.

[signature] Cath Boyer

                    Catherine BOYER
                    Responsable administratif

SARL au capital de 40 000 euros. - 643 987 438 RCS Montpellier B

---

④ Règlement de facture

A. GRAMMAIRE

La conséquence

① **Soulignez la conséquence, puis reliez les phrases avec le mot de liaison proposé.**

Exemple : (par conséquent)

<u>Nous vous accordons un délai de paiement supplémentaire.</u> Vous êtes un de nos plus anciens clients.

Vous êtes un de nos plus anciens clients. Par conséquent, nous vous accordons un délai de paiement supplémentaire.

1. *(tellement de ... que)*

Nous avons des factures à régler ce mois-ci. Nous aurons des problèmes de trésorerie.

....

2. *(aussi)*

Nous avons pris des mesures draconiennes. Beaucoup de factures restent impayées.

....

3. *(si ... que)*

Nous devons payer en trois fois. Le montant de la facture est élevé.

....

4. *(si bien que)*

Les défauts de paiement augmentent. Les entreprises ont de plus en plus de problèmes de trésorerie.

....

② **Continuez les phrases ci-dessous en imaginant des conséquences.**

1. Nous avons reçu tellement de chèques sans provision qu(e) ....

....

2. Beaucoup de nos clients ont des difficultés de trésorerie si bien qu(e) ....

....

3. Ce client paie au comptant. Par conséquent ....

....

4. Nous ne sommes pas satisfaits de notre opérateur de téléphonie et nous ....donc

....

B. VOCABULAIRE

③ **Complétez les mots.**

Messieurs,

En rè........................... de votre fa........................... 43/T du 4 avril, veuillez tr...........................
ci-jo........................... un chèque de 768,50 euros libellé à votre or...........................

M........................... salutations.

Léo Dumont

Service de la com...........................

4 Voici quelques moyens de paiement très courants. Complétez les mots.

Vous pouvez payer :

1. En E ⬚ ⬚ ⬚ ⬚ ⬚ S / En L ⬚ ⬚ ⬚ ⬚ ⬚ E
2. Par C ⬚ ⬚ ⬚ ⬚ E
3. Par V ⬚ ⬚ ⬚ ⬚ ⬚ T B ⬚ ⬚ ⬚ ⬚ ⬚ E
4. Par C ⬚ ⬚ ⬚ E de D ⬚ ⬚ ⬚ ⬚ T ou de C ⬚ ⬚ ⬚ ⬚ T
5. Par M ⬚ ⬚ ⬚ ⬚ T P ⬚ ⬚ ⬚ L

C. LECTURE

5 Observez la facture ci-dessous. Contient-elle les informations suivantes ?

	Oui	Non		Oui	Non
1. Date de la facture	☐	☐	**6.** Adresse de livraison	☐	☐
2. Références de la commande	☐	☐	**7.** Délai de livraison	☐	☐
3. Nom du fournisseur	☐	☐	**8.** Prix unitaire TTC	☐	☐
4. Nom du client	☐	☐	**9.** Délai de paiement	☐	☐
5. Téléphone du client	☐	☐	**10.** Moyen de paiement	☐	☐

FACTURE n° 76007 TR

SOCIÉTÉ ROBIN DUVAL
23 place St Bruno
38000 GRENOBLE
Tél. : 04 76 21 52 48
Fax : 04 76 21 52 49
Courriel : grenoble@robinduval.fr
Affaire suivie par : Michel Lambert
94 76 21 52 44

Commande 8760 du 03/09/2015

Destinataire :
HÔTEL SAVOYARD
4 rue Chaumière
38500 VOIRON

Date : 12 septembre 2015

Désignation	Quantité	Prix unitaire HT	Prix total HT
Rideaux Belair	10	44,50	445,00
Dessus de lit Roussac	10	34,00	340,00
Stores vénitiens	10	32,50	325,00

Adresse de livraison :		Total HT	1 110,00
voir adresse de facturation		TVA 19,6 %	217,56
Paiement : à réception de la facture		**Total TTC (euros)**	**1 327,56**

5 Question d'assurance

A. GRAMMAIRE

L'expression du but

1 Complétez les phrases avec les mots suivants :
pour / pour qu(e) / de peur qu(e) / de peur d(e)

1. J'ai souscrit une assurance *de peur d'* être victime d'un vol.

2. J'ai envoyé la déclaration de sinistre à l'assureur *pour qu'* il m'indemnise.

3. J'ai envoyé une lettre recommandée *pour* éviter toute contestation.

4. L'assureur a demandé une expertise *de peur que* j'aie surévalué les dommages.

2 Complétez librement ces phrases.

1. Je vous prie de faire le nécessaire pour que *vous ne serez pas victime.*

2. J'ai pris rendez-vous avec mon assureur pour lui *montre les risques*

3. J'ai consulté un avocat de peur *d'être tort.*

B. VOCABULAIRE

3 Complétez le texte avec les mots suivants :
assurance / constat / contraventions / dommages / échéance / prime / sinistre / responsabilité / témoins

Conseils aux automobilistes

● Assurez-vous que votre contrat d'........................... est bien adapté à votre véhicule.

● N'oubliez pas de payer la .... avant l'........................... .

● Sachez que votre assurance ne vous couvre pas pour les ...., c'est-à-dire les violations du Code de la route. Par contre, votre assureur vous garantit pour les .... causés à autrui lorsque votre .... est engagée.

● En cas de ...., remplissez le .... et notez avec soin, s'il y a lieu, le nom et l'adresse des ....

52

C. LECTURE

4 Le texte ci-dessous est extrait d'une lettre de résiliation d'un contrat d'assurance. Lisez-le. Puis placez dans ce texte les mots suivants :
dans les meilleurs délais / soit le 18 octobre prochain / Madame, Monsieur

Madame, Monsieur,

Je vous prie de prendre acte de la résiliation du contrat d'assurance, à sa date d'échéance, souscrit auprès de votre compagnie sous le numéro mentionné ci-dessus.

Je vous serais reconnaissant de me faire parvenir une notification de résiliation.

Dans cette attente, je vous prie de recevoir mes salutations distinguées.

5 Lisez-le texte ci-dessous, extrait d'un manuel de droit des assurances. Ce texte concerne la responsabilité civile.

EN DROIT FRANÇAIS, celui qui cause un dommage à autrui doit réparer ce dommage. Il faut trois conditions pour qu'une personne soit déclarée responsable d'un dommage :

1. Cette personne doit avoir commis une faute. La faute peut être intentionnelle (vol, agression, etc.) ou non intentionnelle (négligence, imprudence, etc.).

2. Il faut un dommage. Ce dommage peut être matériel (destruction d'un bien, perte d'argent…), corporel (blessure, maladie…), ou moral (disparition d'un être cher…).

3. Il faut un lien de causalité directe entre la faute et le dommage. Autrement dit, la faute doit avoir directement provoqué le dommage.

Lisez le cas suivant, puis répondez à la question.

Monsieur Leblanc laisse sa voiture dans la rue, sans fermer les portes à clé et sans même retirer la clé de contact. La voiture est volée, et le voleur heurte un cycliste. Le cycliste est sauf, mais la bicyclette est morte.

Monsieur Leblanc est-il responsable de la « mort » de la bicyclette ? Pourquoi ?

....

....

....

....

....

....

....

....

....

Résultats et tendances

Secteur d'activité

A. GRAMMAIRE

La concordance des temps

1 **Rapportez les déclarations ci-dessous. Faites des phrases complètes.**
Exemple :
Léo Roux : « La hausse du prix du pétrole touchera le secteur du transport ».
*Léo Roux a déclaré **que la hausse du prix du pétrole toucherait le secteur du transport**.*

1. Luc Simon, journaliste : « La politique agricole commune sera-t-elle réformée ? »

Luc Simon a demandé au ministre de l'agriculture ....

....

2. Sabine Moulin : « Le secteur de la restauration a rencontré des difficultés de recrutement »

Sabine Moulin a indiqué ....

3. Luc Simon : « Que pensez-vous des résultats de l'industrie au deuxième semestre ? »

Luc Simon a demandé au ministre ....

....

2 **Récrivez le texte ci-dessous en commençant par Cette année là. Faites les modifications de temps nécessaires.**

> Cette année, la société Ixtel a réalisé un chiffre d'affaires de 125 millions d'euros, en baisse de 12 % par rapport à l'année précédente. En un an, sa part de marché s'est réduite de 25 % à 21 %. Toutefois, son président reste optimiste. ■

Cette année-là, ...

....

....

....

....

....

....

B. VOCABULAIRE

3 Classez ces professions dans le tableau.

un artisan / *un chauffeur de taxi* / *un ouvrier agricole* / *un professeur d'école* / *un vigneron* / *un comptable qui tra-vaille chez Renault*

Secteur primaire	Secteur secondaire	Secteur tertiaire
....	*un artisan*	....
....	....	....

C. LECTURE

4 Lisez cet article et dites si les affirmations suivantes sont vraies ou fausses. Si la réponse n'est pas dans l'article, répondez *Non mentionné*.

PSA PEUGEOT CITROËN

PSA maintient sa prévision de croissance modérée des ventes

PSA PEUGEOT CITROËN maintient son objectif d'une croissance modé-rée de ses ventes cette année, avec un marché européen stable.

Interrogé sur ses prévisions de résul-tats pour l'année, le PDG a confirmé *« l'objectif d'une croissance modérée des ventes, avec un marché euro-péen stable »* et *« une pression forte à la baisse des prix, due à une agressi-vité considérable de certains concur-rents en Europe ». « Depuis le début de l'année, nous sommes en amélio-ration en Europe et nous allons continuer à faire progresser notre part de marché semestre après semestre »*, a-t-il dit.

Sur les six premiers mois de l'année, PSA obtient une part du marché euro-péen de 14,6 %. Les ventes mondiales de PSA n'ont augmenté que de 0,6 % au premier semestre, à 1,754 millions de véhicules. Cette légère progression est essentiellement dû aux marchés émergents, notamment l'Amérique latine et la Chine. *« Depuis le début de l'année tout va très bien en Chine, où nos ventes ont augmenté de 50 % dans un marché en hausse, nous donnant une part de marché de 5 % »*, a souligné son PDG. ∎

	Vrai	Faux	Non mentionné
1. En Europe, PSA gagne des parts de marché.	☐	☐	☐
2. PSA détient un tiers du marché européen.	☐	☐	☐
3. Les ventes de PSA ont globalement augmenté.	☐	☐	☐
4. En Europe, PSA vend plus de 1 million de véhicules par an.	☐	☐	☐
5. PSA est N° 1 en Europe.	☐	☐	☐
6. PSA détient la moitié du marché chinois.	☐	☐	☐
7. PSA vend des voitures au Brésil.	☐	☐	☐

Entreprise en chiffres

A. GRAMMAIRE

La variation de la quantité

1 Cochez la phrase qui a le sens le plus proche.

1. Notre chiffre d'affaires a triplé.

☐ Il a connu une légère amélioration

☐ Il a fortement progressé.

☐ Il a un peu augmenté.

2. Nos prix ont baissé de 2 %.

☐ Ils se sont effondrés.

☐ Ils ont légèrement reculé.

☐ Ils ont nettement baissé.

3. Les effectifs sont restés stables.

☐ Ils ont crû.

☐ Ils ont chuté.

☐ Ils ont stagné.

4. Le cours de l'action est en baisse constante.

☐ Il diminue régulièrement.

☐ Il connaît de nombreuses fluctuations.

☐ Il se maintient à un bas niveau.

B. VOCABULAIRE

2 André Viard est à la tête d'une petite entreprise. Il est interrogé par Laure Pérez, journaliste au magazine *Ma petite entreprise.*

Complétez l'interview avec les mots suivants :
bénéfices / effectifs / intéressements / investissements / locaux / marges / matières premières

André Viard,
chef d'entreprise

L. PÉREZ : Quel sont les .... de votre entreprise ?

A. VIARD : Nous avons 15 salariés.

L. PÉREZ : Réalisez vous des .... ?

A. VIARD : Oui, et nos salariés en profitent sous forme d'............................... .

L. PÉREZ : Avez-vous récemment fait des .... ?

A. VIARD : Nous venons d'acquérir les .... que nous louions auparavant.

L. PÉREZ : L'augmentation du prix des .... a-t-elle eu un impact sur votre activité ?

A. VIARD : Oui, nous avons dû augmenter nos prix pour conserver nos ....

Associez.

1. Pain   → *d*
2. Chiffre   → …
3. Nombre   → …
4. Part   → …
5. Consommation   → …
6. Facteur   → …

a. d'affaires
b. de salariés
c. de production
d. au chocolat
e. de marché
f. intermédiaire

C. LECTURE

4 **Observez le graphique ci-dessous. Indiquez si les affirmations sont vraies ou fausses. Si le graphique ne donne pas l'information, choisissez « non mentionné ».**

Cours de l'action Ixtel

Ixtel : ventes par produit

	A	B	C	Total
janv.	36	10	53	99
fév.	72	15	66	153
mars	42	20	40	102

	Vrai	Faux	Non mentionné
1. Pendant les trois premiers mois de l'année, le cours de l'action Ixtel a constamment augmenté.	☐	☐	☐
2. Fin février, le cours retrouvait son niveau du début de l'année.	☐	☐	☐
3. Le cours de l'action Ixtel a stagné pendant les deux premiers mois de l'année.	☐	☐	☐
4. Les bénéfices de la société Ixtel ont augmenté en mars.	☐	☐	☐
5. Si vous avez acheté des actions Ixtel fin janvier et si vous les avez vendues fin février, vous avez réalisé une moins-value.	☐	☐	☐
6. Les ventes ont constamment augmenté entre janvier et mars.	☐	☐	☐
7. Les ventes du produit C sont bien supérieures à celles du produit B.	☐	☐	☐
8. Au mois de février, 15 % des ventes de Ixtel sont des produits B.	☐	☐	☐
9. En février, Ixtel a vendu deux fois plus de produits A qu'en janvier.	☐	☐	☐
10. De janvier à mars, les ventes du produit B ont doublé.	☐	☐	☐
11. Ixtel a réalisé ses meilleures ventes en février.	☐	☐	☐
12. En termes de chiffre d'affaires, le premier mois de l'année est toujours le moins bon.	☐	☐	☐

3 Comptes de l'exercice

A. GRAMMAIRE

La concession

1 Complétez avec les verbes au mode et au temps qui conviennent.

1. Bien que sa part de marché (*avoir*) .... progressé, cette entreprise (*réaliser*) ....
des pertes significatives au second semestre de l'année dernière.

2. Le chiffre d'affaires de cette société (*se redresser*) .... l'an prochain, à moins que la croissance
économique (*demeurer*) .... faible.

3. Quoi que nous (*faire*) ...., les charges (*augmenter*) .... le semestre prochain
en raison de la nouvelle réglementation sur les cotisations sociales.

4. Même si les ventes chutent le mois prochain, nous (*avoir*) .... un excédent à la fin de l'année.

5. Cette année, je pense que les résultats (*être*) .... satisfaisants, encore que nous ne (*connaître*)
.... pas encore les chiffres du mois de décembre.

2 Complétez les phrases avec les mots suivants :
a beau / à moins que / bien que / malgré / même si

1. .... des bénéfices importants, l'entreprise a procédé à des licenciements.

2. Cette entreprise .... avoir des dettes importantes, elle a réalisé des investissements considérables.

3. .... le comptable ait travaillé toute la semaine dessus, le bilan n'est toujours pas terminé.

4. Nous augmenterons les salaires, ... nous ne réalisons pas de bénéfice.

5. Notre résultat sera certainement négatif cette année, ... nous ne doublions nos ventes au dernier
trimestre.

B. VOCABULAIRE

3 Supprimez l'intrus.

1. impôt – frais de transport – chiffre d'affaires – loyer
2. immeuble – stocks – créances – liquidités
3. bénéfice – excédent – avantage – perte
4. dettes – bâtiment – matériel – terrain

4 Complétez les phrases avec des mots de l'exercice 3.

1. Il n'y a que des bureaux dans ce gros ...., il n'y a pas d'appartements.

2. L'usine a été construite sur un .... de 10 000 m² offerts par la mairie.

3. Désolé, madame, ce produit n'est pas disponible, nous sommes en rupture de ....

4. Nous n'avons pas de .... à payer parce que nous sommes propriétaires des locaux.

5. Nous venons de renouveler tout notre .... informatique.

6. Cette année, avec le ralentissement du marché, l'entreprise a subi sa première ....

C. LECTURE

5 Lisez le texte ci-dessous sur la mission du comptable. Complétez-le avec les mots entre parenthèses *a.* à *e.* proposés.

a. (livre journal, livre inventaire)

b. (banquiers, actionnaires, fournisseurs, etc.),

c. (calcul du prix de revient et du chiffre d'affaires par produit)

d. (établissement des bulletins de salaire).

e. (compte de résultat, bilan).

LA MISSION DU COMPTABLE

Le comptable a pour mission de rendre compte de la santé, bonne ou mauvaise, de l'entreprise. Il en tient informé les partenaires de l'entreprise [1 ....], les salariés, et notamment les dirigeants, ainsi que les administrations.

Dans les PME, son rôle consiste à contrôler les opérations comptables. Le plus souvent, il est responsable de son service devant le chef d'entreprise. Ce dernier lui demande également des conseils en gestion.

Au quotidien, le comptable collecte, enregistre, classe et transmet des informations comptables. Il tient les livres [2 ....] et élabore des documents de synthèse [3 ....]. Enfin il remplit les déclarations fiscales et sociales destinées aux administrations.

Dans une grande entreprise, le comptable intègre le plus souvent un service particulier de comptabilité générale : clients (enregistrement des factures clients et procédures de recouvrement), fournisseurs (vérification et enregistrement des factures fournisseurs), paye [4 ....]. Mais il peut également travailler au sein du service de comptabilité analytique. Son rôle est alors de déterminer des centres de profit [5 ....], d'établir des prévisions budgétaires ou de mettre au point des procédures de contrôle.

D'après les fiches métiers de l'ONISEP.

6 Le texte suivant porte sur la mission des commissaires aux comptes. Les paragraphes sont dans le désordre. Mettez-les dans l'ordre.

La mission du commissaire aux comptes

Elles intéressent les actionnaires bien sûr, ainsi que l'État, les banques et autres prêteurs.

Les informations financières produites par la comptabilité d'une société sont utilisées par de nombreux acteurs économiques.

C'est la mission du commissaire aux comptes de vérifier l'exactitude de ces informations comptables et financières publiées.

Tous ces acteurs ont besoin d'avoir une image aussi exacte que possible des comptes.

Les salariés peuvent également vouloir se faire une opinion sur la continuité, la solidité économique de leur employeur.

Comptes de la nation

A. GRAMMAIRE

L'opposition

1 **Complétez librement les phrases suivantes.**

1. La population mondiale a augmenté alors qu(e) ....
....

2. Les inégalités se sont accrues : les riches sont plus riches tandis que ....
....

3. Le PIB par habitant a crû régulièrement dans les villes. En revanche, ...
....

4. Malgré un endettement record, l'État a augmenté ses dépenses militaires au lieu d(e) ....
....

5. Ces dernières années, le pouvoir d'achat a stagné en Europe. Au contraire, ...
....

6. L'inflation était mal maîtrisée dans le passé tandis qu(e) ....
....

B. VOCABULAIRE

2 **Complétez le tableau avec les mots suivants :**
enrichissement / *inflation* / *croissance démographique* / *appauvrissement* / *croissance* / *déflation* / *dépeuplement* / *récession*

	HAUSSE	BAISSE
Prix	....	....
Population	....	....
PIB	....	....
Pouvoir d'achat	*enrichissement*	....

3 **Complétez les phrases avec des mots ou groupes de mots qui se trouvent dans le tableau de l'exercice 2.**

1. Le .... des ménages augmentent régulièrement depuis plusieurs années.

2. Le .... des matières premières est orienté à la baisse.

3. La .... de cette ville s'élève à deux millions d'habitants.

4. Le gouvernement cherche des moyens pour relancer la ....

5. Le déficit public atteint 4 % du ....

6. En venant chercher du travail en ville, les jeunes participent au .... des campagnes.

7. L'............................... entraîne une hausse des salaires, qui entraîne une hausse des prix, etc.

4 **Complétez cet article sur la Finlande avec les mots suivants :**
*revenu par habitant / population / secteur des nouvelles technologies / taux d'alphabétisation / chômage / crois-
sance / taux d'inflation*

Finlande

La Finlande a pour capitale Helsinki.
Elle a une .... d'environ
5 millions d'habitants. L'activité est
dynamique, avec une ....
enviable à 3,2 %. L'économie s'appuie
sur le .... (Nokia est le
premier employeur national).
La population est riche : le .... est de 28 000 euros. Les prix
n'augmentent quasiment pas : le .... est de 0,4 %. L'éducation
est très performante : le .... est de 100 %. Cependant,
le .... reste élevé : il s'élève à 8 % de la population active.

C. ÉCRITURE

5 **Complétez la fiche documentaire sur un pays de votre choix. Puis rédigez un article présentant ce pays en
quelques chiffres.**

F I C H E   D O C U M E N T A I R E

Nom du pays :	PIB : (milliards) ....
Capitale :	PIB/habitant : ....
Population :	Croissance : ....
Espérance de vie :	Inflation : ....
Taux de fécondité :	Chômage : ....

....
....
....
....
....

5 Commerce extérieur

A. GRAMMAIRE

L'indicatif et le subjonctif dans les propositions complétives

1 Entourez la forme verbale appropriée.

1. Nous espérons que les droits de douane sur les produits agricoles | **seront** | **soient** | bientôt supprimés.

2. Les syndicalistes réclament que des mesures | **sont** | **soient** | prises pour lutter contre les délocalisations.

3. Il est clair que les quotas | **sont** | **soient** | une sérieuse entrave à la liberté de circulation des marchandises.

4. J'ai appris que la Commission européenne | **était** | **ait été** | favorable à une augmentation des droits de douane sur les produits textiles.

5. J'avais compris qu'il | **était** | **soit** | protectionniste, mais à ce point !

6. Je suis d'avis que nous ne | **pourrons** | **puissions** | pas redresser nos comptes extérieurs avant longtemps.

7. Je trouve dommage que nous n'| **exportons** | **exportions** | pas davantage en Asie.

2 Complétez librement les phrases suivantes.

1. Je doute que les chiffres du commerce extérieur ....
....

2. Certains craignent que la mondialisation ....
....

3. Les experts estiment que ....
....

4. Le ministre du commerce extérieur a déclaré que ....
....

5. La plupart des gens s'imaginent que le libre-échange ....
....

B. VOCABULAIRE

3 Supprimez l'intrus.

1. invisibles – paiements – subventions – capitaux

2. pétrole – automobile – brevet – mobilier

3. textile – transport – assurance – tourisme

4. vendre – exporter – fournir – acheter

5. rentrer – introduire – négocier – importer

6. droit de douane – libre-échange – quota – formalité

4 Complétez les phrases avec des mots ou groupes de mots de l'exercice 3.

1. Ce théâtre reçoit des .... de l'État.

2. Le maire veut développer les .... en commun de sa ville.

3. Je vous conseille de prendre une .... contre le vol, c'est plus sûr.

4. Nos délais de .... sont de 15 jours à compter de la réception de la facture.

5. Pour créer votre entreprise, vous avez besoin de ....

6. Si vous achetez d'un pays à l'autre de l'UE, vous ne payez pas de ....

C. LECTURE

5 Le texte suivant est extrait d'un ouvrage de Paul Bairoch, intitulé *Mythes et paradoxe de l'histoire économique* (Éditions *La Découverte*). Les paragraphes sont dans le désordre. Mettez-les dans l'ordre.

☐ En effet, l'apport essentiel de Hamilton est de mettre l'accent sur l'idée que l'industrialisation n'est possible qu'à l'abri d'une protection douanière.

☐ Il ne faut pas oublier que le protectionnisme moderne est né aux États-Unis. Alexander Hamilton, ministre des finances (de 1789 à 1795) du premier gouvernement américain, rédigea en 1791 son célèbre Rapport sur les manufactures.

☐ Il semble avoir été le premier à utiliser le terme d'« industrie dans l'enfance ». L'argument existait déjà dans les théories mercantilistes, mais Hamilton l'introduisit au premier plan de la pensée économique.

☐ Ce document est considéré comme le premier texte exprimant la théorie moderne du protectionnisme.

6 Choisissez la phrase qui résume le mieux le texte de l'exercice 4.

En 1791, Hamilton rédige un rapport sur les manufactures. ☐

Le protectionnisme moderne est né aux États-Unis. ☐

Hamilton a été ministre des finances de 1789 à 1795. ☐

Le premier gouvernement américain était protectionniste. ☐

Les États-Unis sont favorables au libre-échange. ☐

ENTRAÎNEMENT
Diplôme de Français professionnel B2/C1 (CCIP)

A. COMPRÉHENSION ÉCRITE ET CONNAISSANCE DU MONDE DES AFFAIRES

Partie 1

L'article suivant concerne la constitution d'un fichier de clientèle.
Cinq phrases de cet article ont été supprimées.
Retrouvez ces phrases parmi les six phrases A à F proposées.

Touchez votre cible avec des fichiers de qualité

Le mailing ou publipostage est un courrier, de préférence personnalisé, qui doit avoir les mêmes qualités qu'une vente en face-à-face. (**1.** …) Pour ce faire, il est essentiel de mettre en avant des arguments convaincants et de vous adresser à des personnes intéressées par vos offres. Le fichier joue ainsi un rôle primordial dans la réussite d'un envoi en nombre.

(**2.** …) Pour que votre mailing soit efficace, votre fichier doit également répondre à deux attentes :

En premier lieu, il doit comporter des informations précises : catégorie socioprofessionnelle, type de résidence, composition du foyer, âge, sexe, profession, etc. (**3.** …) Plus les critères sont précis et croisés entre eux, plus votre fichier sera ciblé. Vous pourrez ainsi toucher les personnes qui vous intéressent.

En second lieu, votre fichier doit contenir des informations commerciales concernant vos clients : les dernières dates d'achat, la fréquence et le montant des derniers paiements ainsi que le type de produits achetés. (**4.** …) Par exemple, « Chère cliente, vous n'avez pas commandé depuis le… » ou « (**5.** …) »

A. Il est beaucoup plus cher de trouver un nouveau client que de le conserver.

B. Son objectif est de convaincre le destinataire d'acheter.

C. Grâce à ces informations, vous pouvez personnaliser vos courriers.

D. De cette façon, vous pourrez trier les contacts en fonction du profil de votre cible.

E. Cette offre est réservée à nos clients fidèles.

F. Un bon fichier n'est pas qu'une simple liste de contacts actualisés.

Partie 2

Lisez l'article sur *L'Usine à design*.
Dites si les affirmations suivantes sont vraies ou fausses. S'il n'y a pas assez d'informations pour répondre, choisissez *Non précisé* (NP).

L'USINE À DESIGN

Émilie Gobin et Charles Smith se sont rencontrés sur le campus d'HEC, une école de commerce française. C'est en réalisant un projet de business plan pour un cours qu'ils ont eu l'idée de créer un commerce de meubles design en ligne. Au sortir de l'école, en 2009, ils s'associent avec un de leurs professeurs, Antonio Racciopi, un professionnel de la vente de meubles, pour créer L'Usine à design.

L'Usine à design (usineadesign.com) est un site marchand de meubles design fabriqués sur mesure. Chacun a la possibilité de créer un meuble à son goût, en le personnalisant. Grâce à un simulateur en ligne, le client décide du choix des matières, du confort, des couleurs, des dimensions et voit sa « création ». Les meubles proposés (canapés, poufs, lits, mobilier d'intérieur, d'extérieur, pour enfant, etc.) sont presque tous personnalisables. Le site annonce 500 références et 500 millions de combinaisons possibles. « *Aucune chance de trouver la même chez le voisin* », précise Émilie Gobin. Chaque objet ainsi personnalisé est fabriqué sur demande par les usines et livré à domicile à « un prix d'usine ».

Pour arriver à vendre des meubles sur mesure à des prix abordables, il a fallu mêler plusieurs recettes. D'abord, faire fabriquer là où le rapport qualité-prix est le meilleur. Si le produit exige beaucoup de main-d'œuvre, il est fabriqué en Asie, notamment en Chine. Ensuite, les stocks sont supprimés : chaque article est réalisé à la commande. Enfin, les intermédiaires sont réduits au minimum. Afin d'éviter les trois ou quatre intermédiaires traditionnels de ce marché, L'Usine à design traite toujours en direct avec les fabricants. Tout cela fait que les prix sont inférieurs de 30 % à ceux pratiqués dans les boutiques spécialisées.

Aujourd'hui, la société n'emploie que 24 salariés – 18 en France et 6 en Asie – mais le site enregistre 300 000 visiteurs par mois et génère un chiffre d'affaires annuel de 2 millions d'euros. « *Chaque mois, nous multiplions nos ventes par trois par rapport à l'année précédente* », conclut Émilie Gobin. En 2010, plusieurs fonds d'investissement sont entrés au capital en apportant plus de cinq millions d'euros, signe que l'affaire inspire confiance.

	VRAI	FAUX	NP
1. Les clients participent à la création de leur meuble.	☐	☐	☐
2. Tous les meubles sont fabriqués en Chine.	☐	☐	☐
3. Les prix affichés comprennent la livraison à domicile.	☐	☐	☐
4. L'Usine à design pratique le zéro stock et le zéro grossiste.	☐	☐	☐
5. Les prix des meubles de L'Usine à design sont très concurrentiels.	☐	☐	☐
6. L'Usine à design privilégie les relations à long terme avec les fournisseurs.	☐	☐	☐
7. L'Usine à design contrôle de très près la qualité de ses produits.	☐	☐	☐
8. Le bénéfice de L'Usine à design est supérieur à 2 millions d'euros.	☐	☐	☐
9. D'après l'auteur de l'article, la société emploie peu de personnes.	☐	☐	☐
10. Aujourd'hui, la société compte trois associés.	☐	☐	☐

Partie 3

Choisissez la réponse qui convient.

1 Vous avez placé vos économies sur un compte d'épargne bancaire, qui vous rapporte 3,5 % par an. Que recevez-vous ?
- ☐ **a.** Des dividendes
- ☐ **b.** Des honoraires
- ☐ **c.** Des intérêts
- ☐ **d.** Des profits

2 Monsieur Bernardin tient un magasin de jeux vidéo. Il a commandé 20 consoles de jeux. Il en a reçu 19. Que doit-il écrire sur le bon de livraison ?
- ☐ **a.** Commande insuffisante
- ☐ **b.** Livraison incomplète
- ☐ **c.** Marchandise non conforme
- ☐ **d.** Paiement partiel

3 L'une des consoles que monsieur Bernardin a reçues présente un léger défaut : elle est rayée sur le côté. Monsieur Bernardin accepte de garder ce produit. Que peut-il demander au fournisseur ?
- ☐ **a.** Un crédit
- ☐ **b.** Une garantie
- ☐ **c.** Un rabais
- ☐ **d.** Une réclamation

4 Une fois par an, monsieur Bernardin doit établir un document comptable qui décrit la situation patrimoniale de son entreprise à un moment donné. Comment s'appelle ce document ?
- ☐ **a.** Un bilan
- ☐ **b.** Un compte de résultat
- ☐ **c.** Un grand-livre
- ☐ **d.** Un journal

5 Caroline est ingénieur. Elle passe un entretien d'embauche. Le recruteur lui demande des précisions sur sa formation. Quelle est la meilleure réponse ?
- ☐ **a.** Je joue du violon dans un orchestre.
- ☐ **b.** J'ai travaillé trois ans comme ingénieur.
- ☐ **c.** J'ai un bon sens des relations.
- ☐ **d.** J'ai fait une école d'ingénieur.

6 Michel est propriétaire d'un petit restaurant dans le quartier commercial d'une grande ville. Cette année, les affaires ont été florissantes. Il souhaiterait réinvestir la majeure partie de ses profits dans le renouvellement du mobilier actuel. Quel moyen de financement lui conseillez-vous ?
- ☐ **a.** L'augmentation de capital
- ☐ **b.** L'autofinancement
- ☐ **c.** Le crédit-bail
- ☐ **d.** L'emprunt bancaire

7 Florian travaille en Suisse, mais réside et paie des impôts en France. Il possède dans une station de montagne suisse trois appartements qu'il loue. Il est actionnaire de la société dans laquelle il travaille. Florian souhaiterait payer moins d'impôts. Vous lui conseillez de s'adresser à :
- ☐ **a.** un analyste financier
- ☐ **b.** un attaché commercial
- ☐ **c.** un conseiller fiscal
- ☐ **d.** un contrôleur de gestion

8 La nuit dernière, le véhicule de votre entreprise a été volé. Votre chef vous demande de faire le nécessaire auprès de la compagnie d'assurances. Que faites-vous ?
- ☐ **a.** Je déclare le sinistre
- ☐ **b.** Je paye la prime
- ☐ **c.** Je répare le dommage
- ☐ **d.** Je nomme un expert

9 Vous êtes le gérant d'une société. De nouveaux associés vont entrer dans le capital. Pour décider de la modification des statuts, vous devez réunir les associés en une assemblée :
- ☐ **a.** constitutive
- ☐ **b.** extraordinaire
- ☐ **c.** ordinaire
- ☐ **d.** permanente

10 Au cours de la réunion de service hebdomadaire, Pierre, le secrétaire de séance, prend des notes. Ces notes lui serviront à rédiger :
- ☐ **a.** le compte rendu
- ☐ **b.** la note de service
- ☐ **c.** le rapport
- ☐ **d.** le résumé

11 Vous arrivez avec un quart d'heure de retard à la réunion de 10 h. Le directeur de marketing est en train de parler. « *Il doit être simple, désirable, original, crédible* », explique-t-il. De quoi parle-t-il ?
- ☐ **a.** Du circuit de distribution
- ☐ **b.** De l'ouverture d'un magasin
- ☐ **c.** Du positionnement d'un produit
- ☐ **d.** D'un segment du marché

12 Depuis trois ans, le taux d'inflation dans votre pays augmente constamment. Il atteint cette année 8 %. Pour stopper l'inflation, il faudrait :
- ☐ **a.** stimuler les crédits
- ☐ **b.** augmenter les taux d'intérêts
- ☐ **c.** diminuer les impôts
- ☐ **d.** augmenter les dépenses de l'État

B. COMPRÉHENSION ORALE ET EXPRESSION ÉCRITE

Partie 1

Vous allez entendre quatre messages laissés sur différents répondeurs téléphoniques.
Pour chaque message, choisissez l'objectif principal de A à G du message.
Il y a un seul objectif par message. Écoutez deux fois.

Messages	Objectifs
	A Remercier
1. …	**B** Demander une information
2. …	**C** Donner des instructions
3. …	**D** Féliciter
4. …	**E** Reconnaître son erreur
	F Présenter ses excuses
	G Faire une réclamation

Partie 2

Vous allez entendre une communication entre un homme et une femme. Tous deux travaillent au sein du même cabinet de conseil. L'homme veut connaître l'avis de la femme sur Florian, un nouveau collaborateur.

Écoutez et dites si les affirmations 5 à 10 sont vraies ou fausses. Si ce que vous entendez ne donne pas assez d'informations, choisissez *Non précisé* (NP). Écoutez deux fois.

D'après la femme :	VRAI	FAUX	NP
5. Florian travaille beaucoup.	☐	☐	☐
6. Il s'entend bien avec ses collaborateurs.	☐	☐	☐
7. Hier soir, il a quitté le bureau à 17 h.	☐	☐	☐
8. Il est lent à comprendre.	☐	☐	☐
9. Il a des problèmes de santé.	☐	☐	☐
10. Il doit rester dans l'entreprise.	☐	☐	☐

Partie 3

Clara Tessier, consultante en management, a mené une étude sur la satisfaction au travail. Vous allez l'entendre présenter les résultats de cette étude. Pendant que vous écoutez, prenez des notes. Écoutez deux fois. Puis rédigez un compte rendu d'environ 250 mots de cette présentation.

> COMPTE RENDU D'ENTRETIEN
> AVEC MADAME C. TESSIER

Les deux graphiques suivants concernent le chiffre d'affaires réalisé l'année passée par la société Tibec, une entreprise spécialisée dans la technologie médicale. Vous travaillez comme responsable des ventes chez Tibec.

À l'aide des informations contenues dans ces graphiques, rédigez un bref compte rendu sur l'évolution et la répartition du chiffre d'affaires de la société Tibec l'année dernière. Écrivez 100-120 mots.

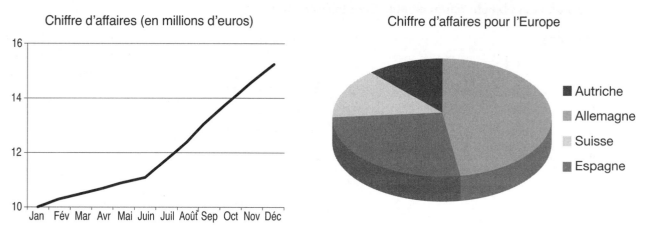

Partie 5

Vous travaillez chez un fabricant d'accessoires informatiques.

Vous avez reçu le courriel suivant d'un fournisseur. À vous de répondre.

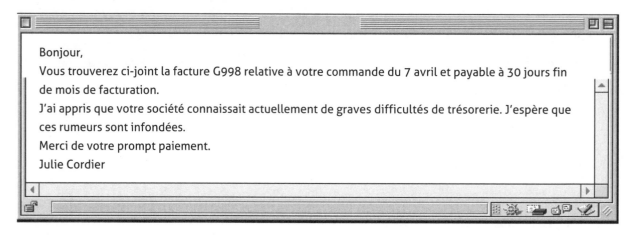

Bonjour,
Vous trouverez ci-joint la facture G998 relative à votre commande du 7 avril et payable à 30 jours fin de mois de facturation.
J'ai appris que votre société connaissait actuellement de graves difficultés de trésorerie. J'espère que ces rumeurs sont infondées.
Merci de votre prompt paiement.
Julie Cordier

● Accusez réception. ● La facture contient un oubli ou une erreur. Expliquez le problème. Faites une demande.
● Rassurez Julie Cordier sur le paiement. ● Démentez les rumeurs. Donnez une raison possible à ces rumeurs.
Parlez de la bonne santé de votre entreprise. ● Saluez.● Écrivez 100-150 mots.

C. EXPRESSION ORALE

Faites un exposé de cinq minutes sur un sujet que vous avez choisi et préparé à l'avance. Votre sujet doit se rapporter directement au monde des affaires. Il doit être de nature polémique et permettre un exposé de type argumentatif.

Exemples de sujet : Internet facilite-t-il la recherche d'emploi ? Quel avenir pour le livre numérique ? La croissance chinoise va-t-elle se poursuivre ? Faut-il investir en Roumanie ?

ENTRAÎNEMENT
DELF Pro B2

A. COMPRÉHENSION DE L'ORAL

Lucas Normand travaille comme consultant dans un cabinet de conseil international. Il a eu l'occasion de travailler dans plusieurs pays. Vous allez l'entendre parler de ces différentes expériences professionnelles. Lisez les questions ci-dessous, écoutez une première fois et répondez aux questions. Puis écoutez une deuxième fois et complétez vos réponses.

1 En France, Lucas change fréquemment de lieu de travail. Pour quelle raison ?

....

2 En France, Lucas travaille le plus souvent :

☐ seul dans un bureau

☐ dans un bureau qu'il partage avec quelques personnes

☐ dans un bureau qu'il partage avec de très nombreuses personnes

3 Quand il est à Paris, il demande à partir travailler à l'étranger. Pour quelle raison ?

....

4 Quelle est sa première impression quand il arrive à Montréal ?

☐ C'est beau   ☐ C'est grand   ☐ C'est propre   ☐ C'est triste

5 Qu'est-ce que Lucas supporte le moins dans le bureau de Montréal ?

....

6 Pourquoi Lucas choisit-il de travailler à New York ?

....

7 Quel est, pour Lucas, le principal problème du télétravail ?

....

8 Quand il est à New York, Lucas voyage environ :

☐ 5 jours par mois   ☐ 10 jours par mois   ☐ 15 jours par mois   ☐ 20 jours par mois

9 À New York, que fait-il quand il ne travaille pas ?

– Le matin : ....

– À midi : ....

– Le soir : ....

10 Dans quel pays Lucas a-t-il le moins apprécié l'ambiance de travail ?

☐ En France   ☐ Au Canada   ☐ Aux États-Unis   ☐ En Corée

B. COMPRÉHENSION DES ÉCRITS

Vous êtes un petit commerçant installé en France. Vous souhaitez ouvrir votre magasin le dimanche. Le document ci-dessous a été mis en ligne par la Direction du commerce et de l'artisanat. Consultez ce document. Puis répondez aux questions suivantes.

Le maire, le commerce et l'artisanat : l'ouverture des commerces le dimanche

En France, la réglementation de l'emploi de salariés du commerce les dimanches figure dans le code du travail (art. L 3132-1 et suivants). Il est interdit d'occuper plus de six jours par semaine un même salarié. Le repos hebdomadaire des salariés doit avoir une durée de 24 heures consécutives et être donné le dimanche.

Cependant, des dérogations de droit sont prévues par le code du travail notamment pour le commerce au détail de denrées alimentaires qui bénéficient d'une dérogation de droit le dimanche matin jusqu'à midi. Les commerces qui n'emploient pas de salariés peuvent ouvrir le dimanche à leur convenance.

Dérogations accordées par le maire
En application des dispositions de l'article L 3132-26 du code du travail, le maire peut accorder une autorisation d'emploi de salariés dans le commerce de détail le dimanche pour un maximum de cinq dimanches par an. Cette décision est prise après avis des organisations d'employeurs et de travailleurs intéressées. Le maire dispose d'un entier pouvoir d'appréciation pour accorder ou refuser ces dérogations. Les salariés bénéficient alors d'un repos compensateur et du doublement de leur salaire.

Dérogation accordée par le préfet sur demande du Conseil municipal
L'article L. 3132-25 du code du travail prévoit la possibilité pour le préfet d'accorder des dérogations temporaires et individuelles en faveur des commerces de détail de biens et services destinées à faciliter l'accueil du public dans les communes touristiques et thermales et dans les zones touristiques d'affluence exceptionnelle ou d'animation culturelle permanente.

La réglementation européenne des jours d'ouverture des commerces
Il n'existe aucun texte communautaire réglementant l'ouverture des commerces dans l'Union européenne, et aucun projet de texte n'est envisagé. Dans un arrêt du 23 novembre 1989, la Cour de Justice des Communautés européennes a considéré que le choix d'un jour d'ouverture des commerces relevait de l'appréciation de chaque État membre. Les entraves aux échanges qui pourraient en résulter ne lui ont pas semblé disproportionnées par rapport au but poursuivi. Cette jurisprudence a été constamment réaffirmée depuis.

D'après *pme.gouv.fr*

1 Ce document donne des informations :

☐ commerciales ☐ juridiques ☐ politiques

2 Les règles qui régissent le travail le dimanche sont rassemblées dans quel document ?

....

3 Vrai ou faux ?

a. Vous pouvez vendre du pain le dimanche matin.

☐ Vrai ☐ Faux

Justification : ....

....

b. En principe, si vous n'avez pas de salariés, vous pouvez ouvrir votre boutique le dimanche.

☐ Vrai ☐ Faux

Justification : ....

....

c. Dans certains cas, le maire peut accorder des dérogations, mais à la condition d'avoir obtenu l'accord des

organisations patronales et syndicales.

☐ Vrai ☐ Faux

Justification : ....

....

4 Quelles contreparties doivent être données au salarié qui travaille le dimanche ?

....

5 Vous êtes commerçant. Pour prétendre pouvoir ouvrir toute l'année, vous devez (*deux réponses*) :

☐ demander l'autorisation au préfet

☐ être implanté à Paris

☐ être localisé dans un quartier très touristique

☐ avoir un magasin de souvenirs

☐ être un service public

☐ proposer dans votre magasin des animations culturelles

☐ être situé dans une station thermale

6 Cochez la phrase qui correspond le mieux à la position de l'Union européenne.

☐ Les pays de l'Union européenne doivent, à terme, harmoniser leur législation sur le travail dominical.

☐ Chaque État de l'Union européenne doit choisir librement sa politique en matière d'ouverture de

commerces.

☐ Il existe des lois européennes qui encadrent les jours d'ouverture des magasins.

☐ L'ouverture des commerces le dimanche entrave les échanges intracommunautaires.

7 Depuis l'arrêt du 23 novembre 1989, la position de la Cour de Justice des Communautés européennes n'a

pas changé. ☐ Vrai ☐ Faux

Justification : ....

C. PRODUCTION ÉCRITE

Vous travaillez pour une société qui gère une chaîne de magasins.

Pierre Dumond, votre directeur, s'inquiète de la montée de l'absentéisme de certaines catégories du personnel, notamment dans deux magasins. Il n'est pas rare que certains salariés s'absentent pour maladie jusqu'à 40 jours par an.

Monsieur Dumond vous a demandé de mener une enquête et de lui remettre un bref rapport sur le sujet. Dans ce rapport, vous identifierez la ou les causes véritables de cet absentéisme et vous ferez une ou des propositions pour résoudre ce problème. Écrivez au moins 250 mots.

D. PRODUCTION ET INTERACTIONS ORALES

Choisissez l'un des deux textes suivants.
Dégagez le problème soulevé par ce texte.
Présentez votre opinion sur le sujet de manière argumentée.

Sujet 1

Certains stéréotypes ont la vie dure. Ainsi, selon une récente étude de l'Insee, une personne sur quatre pense qu'en période de crise économique les hommes devraient être prioritaires pour trouver un emploi. Et plus de la moitié des personnes interrogées pensent qu'un enfant d'âge préscolaire risque de souffrir du fait que sa mère travaille. La plupart des mères qui travaillent se sentent coupables de ne pas être suffisamment présentes auprès de leur enfant. De plus, les femmes assument encore l'essentiel des tâches domestiques et des responsabilités familiales. Bref, il reste encore à faire pour aider les femmes à concilier vie familiale et vie professionnelle.

D'après Martine LARONCHE, *Le Monde*, 6 mars 2011

Sujet 2

Je travaille dans une grande entreprise où la pratique est de faire une réunion de service chaque semaine. La question n'est pas de savoir s'il faut en faire une : les réunions sont une habitude. Elles durent deux ou trois heures, parfois plus longtemps. Il y a un vague ordre du jour, mais le plus souvent on y va sans réellement savoir pourquoi et si on le sait, sans préparer quoi que ce soit. Il arrive que l'ordre du jour soit rapidement expédié pour laisser place à l'ensemble des non-dits de l'entreprise ou pour parler du beau temps. Au moins, ce n'est pas comme à la machine à café du couloir, ici au moins on est confortablement assis !

TRANSCRIPTION DES ENREGISTREMENTS

Ces enregistrements se trouvent sur le DVD inclus dans le livre de l'élève.

Test de placement

1 **Tu sais dans quelle salle a lieu la réunion ?**
a. Je crois que c'est à 10 heures, je ne suis pas sûr.
b. En fait, ils ont repeint toutes les salles pendant les vacances.
c. Je ne savais même pas qu'il y avait une réunion.

2 **Excusez-moi, savez-vous où se trouve la rue du Commerce ?**
a. Ouh là ! Vous n'êtes pas tout près.
b. C'est au premier étage.
c. Vous êtes à la mauvaise adresse.

3 **Vous seriez disponible lundi prochain ?**
a. J'aimerais autant à 10 heures, si possible.
b. Pas de problème, je suis libre toute la journée.
c. Je regrette, mais j'attends un client mardi matin.

4 **Je vous annonce que vous avez gagné un voyage au Mexique. À quelle date souhaitez-vous partir ?**
a. Je suis désolé, mais je dois reporter mon voyage au Mexique.
b. Quand je vais au Mexique, je voyage en classe affaires.
c. Je vous remercie, mais je ne suis absolument pas intéressé.

5 **D'après vous, quelle est votre principale qualité ?**
a. D'après mon chef, je serais un peu désorganisée.
b. Je préfère travailler en équipe, j'ai peur de rester seule dans mon coin.
c. On dit que je comprends assez vite et que je ne manque pas d'énergie.

6 **Vous savez combien il y a de chômeurs dans votre pays ?**
a. On dit qu'il y en a 4 millions, mais à mon avis il y en a bien plus.
b. Il paraît que le chômage touche principalement les jeunes et les seniors.
c. Selon l'Insee, il y aurait près de 12 millions de retraités.

7 **Pouvez-vous me communiquer le numéro de votre carte bancaire ?**
a. Tenez, voilà ma carte, n'hésitez pas à m'appeler s'il y a quoi que ce soit.
b. Désolé, je n'ai pas ma carte sur moi.
c. Je n'ai pas encore réfléchi à la question, je vous rappelle dans la journée.

8 **Est-ce que vous préférez travailler dans une grande ou dans une petite entreprise ?**
a. En fait, je connais un très bon livre sur la culture d'entreprise.
b. C'est vous qui voyez, les petites entreprises ont beaucoup souffert de la crise.
c. C'est difficile à dire, il y a des avantages et des inconvénients dans les deux cas.

9 **Vous vous entendez bien avec vos collaborateurs ?**
a. À vrai dire, pas avec tous.
b. J'ai de très bonnes relations avec mon banquier.
c. Il est un peu sourd, il n'entend pas très bien.

10 **Qu'est-ce que vous portez comme vêtements au travail ?**
a. Ça dépend des jours, mais généralement pas le vendredi.
b. Tous les hommes sont en costume cravate, moi y compris.
c. Si ça vous intéresse, je connais un magasin de vêtements pas chers.

Diplôme de Français professionnel B2/C1

Partie 1

1. William, c'est Justine. Juste un mot pour te dire que ta présentation était super. Franchement, tu étais bien meilleur que Kamel. Il n'y a pas que moi qui pense ça. J'ai demandé à Elsa, elle est complètement d'accord avec moi. Quand tu as répondu à la question sur le financement, tu t'en es très bien tiré, franchement, à ta place, je ne sais pas ce que j'aurais dit. Bon, n'oublie pas la réunion de demain, salut !

2. Quentin, je suis dans le train et bon, j'ai pensé à notre discussion de ce matin et finalement, à la réflexion, je pense que tu as raison. J'ai comparé avec l'offre de Lecco, et c'est vrai, le prix n'est pas si exagéré que ça, c'est même assez juste, donc, alors, on va dire que ça marche, je me suis trompé, ça m'arrive aussi de me tromper. À lundi.

3. Lise, c'est Morgane. Écoute, j'ai bien reçu les traceurs, mais décidément, il y a quelque chose qui ne va pas au magasin. J'ai reçu trois traceurs au lieu des cinq que j'avais demandés et encore, sur les trois, il y en a un qui n'est pas aux normes. Franchement, je ne sais pas ce qui se passe, ça devient assez systématique, ce genre d'erreurs, il faudrait peut-être faire quelque chose. Appelle-moi, s'il te plaît.

4. Martine, je suis dans un taxi, je vais à l'aéroport. Pour la réunion de jeudi prochain avec les Canadiens, en fait, je crois qu'il faudrait que madame Bertin vienne. Pouvez-vous voir avec elle ? J'ai demandé à Luc de préparer un rapport, demandez-lui de lui transmettre, je veux dire, de le transmettre à madame Bertin avant la réunion, bien avant même, au cas où il y aurait des corrections, je pense qu'il y en aura, madame Bertin est du genre pointilleux. Merci et à bientôt.

Partie 2

H : Assieds-toi, Manon. Je t'ai demandé de venir pour avoir ton avis sur Florian.

F : Sur Florian ?

H : Oui, sur Florian. Je me demande s'il est à la hauteur. Tu as eu l'occasion de travailler avec lui, je crois.

F : Oui, un peu. Il est avec moi sur le CPF.

H : Oui, je sais, c'est bientôt terminé ?

F : À la fin de la semaine, j'espère.

H : Vous êtes combien sur la mission ?

F : On est quatre, Jean-Pierre, Caroline, Florian et moi.

H : Ça se passe bien, je crois.

F : Pas de problème majeur, le stress d'usage.

H : Et au sein de l'équipe, côté relationnel ?

F : Jean-Pierre est toujours un peu compliqué, mais à part ça, non, rien à dire de ce côté.

H : Et avec Florian ?

F : C'est un garçon très agréable, tout le monde te le dira, même Jean-Pierre.

H : Et toi, qu'est-ce que tu penses de lui ?

F : De Florian ?

H : Oui, de son travail.

F : Comme je disais, c'est un garçon agréable. Il est sérieux, il fait ce qu'il peut. C'est un gros bosseur, il ne compte pas ses heures. Hier soir, il était encore là à onze heures.

H : Oui, je sais, on m'a dit ça, il part toujours très tard, mais Michel dit qu'il est lent.

F : Ce n'est pas un rapide.

H : Il paraît qu'il ne comprend rien à ce qu'on lui demande.

F : Il est un peu perdu, c'est vrai, il faut lui expliquer les choses.

H : Tu es d'accord avec Michel, alors ?

F : Je ne dirais pas qu'il ne comprend rien.

H : Qu'est-ce que tu dirais ?

F : Disons qu'il met du temps à comprendre.

H : C'est pareil.

F : Je crois qu'il a des problèmes familiaux. Si j'ai bien compris, ça ne va pas fort avec sa femme.

H : Chacun ses problèmes. Tu sais qu'il est en période d'essai ?

F : Oui, je sais.

H : Bon, alors, à ton avis, est-ce qu'il faut le garder ?

F : Ce n'est pas à moi de décider.

H : Tu peux me donner ton avis.

F : Eh bien… euh… je crois que non.

H : Que non quoi ?

F : Je crois qu'il vaudrait mieux qu'il parte.

Partie 3

Oui, alors, la satisfaction au travail est un sujet qui intéresse beaucoup, et qui intéresse beaucoup de monde, les entreprises, mais aussi les économistes, les sociologues, et même les philosophes, enfin presque tout le monde. Beaucoup d'études existent là-dessus, et nous avons essayé d'en faire la synthèse, en menant également, parallèlement, nos propres recherches.

Bon, alors, au final, la question qui nous a intéressés, c'est celle de savoir pourquoi on est satisfait au travail, on a cherché à connaître, à identifier les facteurs, les raisons de la satisfaction au travail, pourquoi un tel est satisfait, et pourquoi tel autre ne l'est pas, alors même d'ailleurs que les deux travaillent dans la même entreprise, à des postes similaires. Bon, alors là, évidemment il y a des facteurs personnels qui sont impliqués. Donc, on a cherché à identifier certains facteurs personnels, et aussi bien sûr on s'est intéressé aux facteurs environnementaux, à l'environnement du travail, c'est surtout là-dessus que les managers essayent de jouer bien sûr.

Alors, donc, quels sont les facteurs personnels impliqués dans la satisfaction au travail ? Nous avons identifié trois facteurs, trois facteurs principaux : l'âge, le sexe et la personnalité des individus.

Je commence par l'âge. Pour l'âge, on a remarqué assez clairement que plus vous êtes âgé et plus vous êtes satisfait. Alors, est-ce que cela veut dire que les entreprises ne devraient embaucher que des personnes d'un certain âge ? Si vous avez une entreprise où l'âge moyen des salariés serait disons de 50 ans, alors, en principe, on devrait baigner dans une ambiance de bonheur. Mais en fait, ça ne marche pas comme ça. La vérité, c'est que le rapport entre l'âge et la satisfaction au travail s'explique par le fait que plus vous êtes âgé et plus vous améliorez votre statut professionnel, en principe. C'est que, en principe, d'une façon générale, plus vous êtes âgé, meilleur est votre salaire et plus vous avez de responsabilités. Alors, donc, en fait, c'est le statut qui prédit la satisfaction, pas l'âge. D'ailleurs, lorsqu'on analyse séparément l'âge et le statut, c'est-à-dire lorsqu'on étudie la corrélation entre âge et statut pour les gens ayant un statut bas puis moyen puis élevé, il n'y a plus de corrélation entre âge et satisfaction. On remarque que les travailleurs les plus satisfaits, qu'ils soient jeunes ou vieux, sont ceux qui ont un meilleur statut, c'est-à-dire plus de responsabilités, une meilleure rémunération, plus d'autonomie. Donc, bref, la vraie corrélation n'est pas entre âge et satisfaction, mais elle est plutôt entre statut et satisfaction, un meilleur statut impliquant souvent plus de satisfaction.

En ce qui concerne les facteurs personnels, à côté de l'âge, nous nous sommes intéressés au sexe. Est-ce que les femmes sont plus satisfaites au travail que les hommes ? Ou le contraire ? Ou pareil ? Là aussi, nous avons remarqué que la relation n'est pas évidente. D'après nos recherches, il semblerait que les hommes seraient, d'une façon générale, plus satisfaits dans leur travail que les femmes. Mais là aussi, c'est plus complexe parce qu'il faut prendre en compte d'autres variables, des variables comme le stress, le harcèlement et les différences de salaires. Si vous intégrez ces variables, eh bien, la conclusion n'est pas la même. Pourquoi les femmes sont-elles moins satisfaites dans leur travail que les hommes ? Eh bien, pas parce qu'elles sont femmes mais parce que leur travail génère plus de stress. Ce sont encore les femmes qui à côté, en plus de leur travail assument les tâches ménagères, les responsabilités familiales, ce sont elles qui s'occupent des enfants, et le travail peut être une source de stress supplémentaire. De même, les femmes sont plus souvent victimes de harcèlement au travail que les hommes, notamment de harcèlement sexuel, et puis enfin, n'oubliez pas, il y a des différences de salaires, d'une façon générale, pour un même travail, les femmes sont moins bien payées que leurs collègues hommes, alors, bref, si les femmes ne sont pas satisfaites au travail, ou plus exactement si

elles sont moins satisfaites que les hommes, c'est parce que ce sont elles qui sont les plus victimes des trois facteurs que je viens de citer, le stress, le harcèlement, le salaire, et pas, donc, comme je le disais, parce qu'elles sont femmes. Il n'y pas de corrélation entre être femme et être satisfaite au travail.

Après l'âge et le sexe, le troisième et dernier facteur personnel concerne la personnalité, les variables de la personnalité. Des chercheurs ont montré une forte corrélation entre la tendance à être satisfait de la vie, de sa vie en général, et la satisfaction au travail. Autrement dit, un homme heureux ou une femme heureuse dans la vie serait également heureux au travail. Certaines recherches concluent même qu'un regard positif sur la vie au moment de votre adolescence se traduirait ensuite par une satisfaction au travail plus tard, voire même tout au long de la vie. Ces études suggèrent que la satisfaction au travail aurait des bases génétiques. Mais ces études ont toujours été effectuées sur de très petits échantillons et bon je pense que, pour cette raison, il faut les prendre avec précaution.

Alors, à côté de ces facteurs personnels, il y a bien sûr des facteurs environnementaux, comme l'intérêt du travail, une bonne rémunération... Si votre travail vous intéresse, si vous n'êtes pas menacé de le perdre, si vous êtes autonome, si on vous laisse des responsabilités, si l'ambiance au bureau est bonne, s'il n'y pas de conflits ou du moins pas de graves conflits, parce qu'il y a toujours des petits conflits, si... euh... si vous êtes bien payé, si vous avez des opportunités de promotion, si la qualité de votre travail est reconnue, appréciée, récompensée, bref, si vous êtes dans une situation pareille, si l'environnement est à ce point idéal, il n'y a pas de raison, enfin, pas de raison objective pour que vous soyez malheureux et d'après nos études, il est indéniable que ces facteurs environnementaux ont une influence sur votre satisfaction au travail. La question est de savoir quels sont de tous ces facteurs celui ou ceux qui ont le plus d'influence et alors on remarque qu'il y a deux facteurs importants, plus importants que les autres du moins, le premier c'est votre rémunération et le deuxième c'est l'autonomie, l'autonomie qu'on vous laisse au travail. Être bien payé est certainement un facteur de motivation et de satisfaction, parce que c'est aussi, en quelque sorte, une reconnaissance de votre travail. Quant à l'autonomie, si vous êtes autonome, ça veut dire qu'on vous fait confiance, que vous avez une certaine liberté, qu'on vous laisse le choix des moyens pour atteindre votre objectif, ce qui vous permet de vous sentir créatif.

Les programmes d'enrichissement du travail ont justement pour but d'agir sur ces facteurs environnementaux. Ces programmes sont conçus pour augmenter la satisfaction des employés en leur donnant des responsabilités supplémentaires. L'idée, c'est de diversifier ou d'élargir les tâches, de façon à responsabiliser les travailleurs, à les impliquer davantage, en leur laissant plus d'autonomie. Et là, on remarque que ça marche, c'est-à-dire que ces programmes augmentent la satisfaction, mais seulement s'ils sont accompagnés d'une augmentation du salaire, sinon c'est le contraire qui se passe, on observe une augmentation de l'insatisfaction. Et donc, comme je le disais, la conclusion, c'est que les gens sont plus heureux au travail s'ils sont à la fois plus autonomes, plus libres et aussi s'ils sont mieux payés. Maintenant, quand on a dit ça, la question qu'on se pose, assez naturellement, c'est celle de savoir s'il y a un lien entre satisfaction et performance au travail. Est-ce qu'un travailleur satisfait au travail est performant, nécessairement performant ou du moins plus performant qu'il ne le serait s'il n'était pas satisfait ? Eh bien là, surprise, d'après toutes nos recherches, ce sont des recherches qui s'appuient sur des études de plusieurs années, des recherches de psychologues du travail, de spécialistes d'organisation du travail, eh bien, d'après ces recherches, donc, il n'y a pas de lien, ou peu de lien, en tout cas pas de lien direct et certain entre satisfaction et performance, c'est-à-dire, bon, que vous travailliez bien ou mal, ça ne dépend pas de votre satisfaction, vous pouvez être malheureux dans votre travail et en même temps être tout à fait efficace, ou alors l'inverse. Bref, la performance au travail dépend certainement un peu de la satisfaction que vous éprouvez en travaillant, mais pas seulement, il existe en fait une multiplicité d'autres facteurs, et la satisfaction en est un, mais c'est loin d'être le seul, ni même le plus important.

Pourtant, les managers, la plupart des managers sont convaincus que la satisfaction au travail augmente la performance. Ils s'efforcent donc, avec plus ou moins de succès d'ailleurs, d'agir sur la motivation de leurs collaborateurs, sur leur satisfaction, ce qui en soi est de toute façon plutôt une bonne chose, bien que ça n'ait que peu d'implication sur la performance.

DELF Pro B2

Bonjour, je m'appelle Lucas Nornand, je travaille comme consultant pour un cabinet de conseil. Depuis deux ans, je vis à New York, mais j'ai eu l'occasion de voyager pas mal pour mon entreprise, de travailler dans différents pays. Je voudrais vous faire part de mon expérience sur les conditions de travail dans les différents pays où j'ai travaillé, pour apporter un témoignage, un éclairage culturel et international. Je ne parle qu'en mon nom, ce que je dis ne concerne que moi, il se peut que d'autres personnes aient des expériences et des points de vue tout à fait différents des miens.

Je suis français, j'ai fait une école d'ingénieur. Tout de suite après mes études, je suis entré dans une boîte de conseil où je travaille encore en ce moment, c'était à Paris, à la Défense. On travaillait en « open space ». Le premier jour, je me souviens, j'arrive, il y avait une ambiance feutrée, on n'avait pas de bureau attitré, alors je m'assieds à un bureau libre, mais au bout d'une heure, on me dit que le bureau est occupé et on me dégage gentiment, alors je trouve un deuxième bureau, j'ai l'impression d'être au milieu d'une meute de loups qui se battent pour leur territoire. Bon, mais je ne me plains pas, c'est une situation assez normale après tout, je suis consultant, et normalement, je passerai très peu de temps dans ce bureau, je travaille chez des clients, je changerai de lieu de travail en fonction des clients chez qui j'interviens, c'est normal, on m'avait prévenu au départ, j'accepte. Bon, donc, en arrivant, je trouve un coin. Après deux semaines, je suis envoyé chez un client. Là, je partage un bureau avec trois personnes, c'est un bureau fermé, pour nous quatre, les trois autres ont mon âge, l'ambiance est bonne, on s'entend bien et on travaille. J'oublie les deux premières semaines et je me concentre sur mon travail. Je vais comme ça encore changer trois fois de bureau en deux ans, selon les affectations, et à chaque fois, ce sont des bureaux fermés, des bureaux que je partage avec deux ou trois personnes. Le dernier bureau que j'occupais donnait sur la Seine, c'était très agréable. De temps en temps, je repasse dans mon entreprise, je trouve un bureau libre, il y a un téléphone, je n'ai besoin de rien d'autre.

Au cours d'un entretien d'évaluation, on me propose un poste à Montréal. En fait, j'avais demandé de partir à l'étranger, non pas parce que je ne me plaisais pas à Paris, mais juste pour faire une expérience, pour voir comment c'est ailleurs, on dit que les voyages forment la jeunesse. Le Canada, Montréal, ça me convient très bien, donc je dis oui, et après deux ans à Paris, me voilà donc en route pour le Canada. J'arrive à Montréal en plein hiver, c'est un peu terne, il n'y a pas de lumière, il fait froid, mais bon, peu importe, je ne venais pas chercher le beau temps. Les bureaux de la société se trouvent dans un bâtiment tout en longueur. Sur le côté il y a quelques bureaux individuels et au milieu une grande salle en « open space » remplie de monde, ça grouille dans tous les coins. On m'avait dit qu'en Amérique du Nord, on travaillait dans des bureaux semi-fermés qui permettaient de s'isoler un peu, mais alors là il y a rien de ça, les bureaux sont collés les uns aux autres, ils sont juste séparés par des panneaux fins et bas avec sur mon bureau des papiers partout de la personne qui a occupé le bureau avant. Il y a un bruit incessant, des gens qui sont au téléphone, en train de parler très fort. Il n'y a pas de fenêtre, donc pas de lumière naturelle. En France, c'est interdit par les conventions collectives, mais là, non, tu es plongé dans une luminosité agressive, et dans un bruit infernal. Je commence à me demander si j'ai fait le bon choix, j'aurais peut-être mieux fait de rester là où j'étais. Quand on est nombreux à revenir de chez un client, il y a pas assez de place pour tout le monde. Il faut arriver très tôt pour avoir une chance de trouver une place. Ou alors une solution efficace, c'est de mettre un maximum de papiers et de désordre sur ta table, pour que personne ne veuille s'asseoir. Après un an comme ça, je commence à ne plus supporter le bureau. Je ne prends plus aucun plaisir à aller travailler, et j'ai l'impression de ne pas être productif du tout. Dans le bureau, il y a de bons côtés, les collègues sont sympas, il y a un esprit d'entraide, beaucoup de solidarité entre nous, mais c'est le bruit que je ne supporte plus ; au début, c'est une petite gêne et puis, on finit par ne plus penser qu'à ça, tout ce que je demande, c'est le silence.

Bon, je commence à m'ouvrir à certaines personnes dans l'entreprise, et finalement on me propose de changer de poste avec là la possibilité de travailler de chez moi. Comme ma copine travaille près de New York, je choisis de déménager à New York. C'est pas facile de travailler chez soi, mais pour mon entreprise en tout cas, aux US, c'est très courant, c'est même la majorité des consultants qui télétravaillent. Il y a moins de coûts fixes et en tant que consultant on doit souvent voyager et un bureau vide ça coûte de l'argent ; quand on travaille chez nous ça ne coûte rien à l'entreprise. Ma vie professionnelle est contenue dans deux ordinateurs portables et un iphone et avec ça je peux travailler au milieu de Central Park. Ma copine travaille dans le New Jersey, ça lui fait deux heures de transport par jour, c'est moi qui m'occupe des courses, d'une bonne partie des tâches

ménagères. Mais bon voilà je me réveille à 6 heures et demie et je suis au boulot à 7 heures et je ne m'arrête plus de la journée. Je traîne mon ordinateur partout et aussi le téléphone que j'ai reçu de mon entreprise, où que tu ailles, tu as de quoi travailler. Il n'y a plus de ligne entre ta vie professionnelle et ta vie privée, c'est ça la difficulté majeure, c'est de travailler non-stop, j'essaye de ne plus lire mes messages sur mon téléphone, mais finalement, par masochisme ou par curiosité, ou alors simplement par excès de conscience professionnelle je finis par consulter tout le temps ma messagerie. Les outils de communication sont des outils de culpabilisation. Si tu as un collègue qui te demande de l'aide, tu te sens obligé de l'aider, si tu peux, lui l'a bien fait pour toi quand tu en avais besoin. Et puis il y a les voyages qui m'occupent une bonne partie du temps, en moyenne je suis parti une dizaine de jours par mois, les voyages et le travail à domicile ça te casse ta vie sociale, la vie de bureau commence à me manquer sérieusement. Je ne vois plus mes collègues, le midi je mange tout seul, quitte à manger tout seul autant manger devant son ordinateur. J'essaye de trouver des routines pour réguler mes journées, le matin je commence par faire un jogging, à midi je fais une pause de 38 minutes pour regarder un épisode d'une série policière, au moins pendant ce temps je suis moins tenté de travailler, le soir je vais chercher ma copine à la gare, elle est contente, et ça me fait sortir du boulot.

Le mois dernier, on m'a envoyé à Séoul en Corée du Sud pour un projet, ça m'a donné l'occasion de voir comment les gens travaillaient là-bas, dans le bureau il y avait encore moins de place qu'à Montréal, les gens travaillent dans des bureaux en ligne, complètement décloisonnés, sans aucun espace privé, mais on a une place assignée. Au bout de la ligne, il y a un manager, un manager de ligne qui surveille les faits et gestes de tous les employés, combien de temps ils s'absentent, je ne sais pas si c'est comme ça partout en Corée, mais là, franchement, j'ai trouvé ça très bizarre et je me suis dit que finalement le télétravail c'est pas si mal et que même s'il fallait choisir je préférerais encore le bruit infernal du bureau de Montréal.

Imprimé en Italie par ⬛ Grafica Veneta S.p.A. en décembre 2012
Dépôt légal : Janvier 2013
N° d'éditeur : 10176148